O drama da Bretanha

Yvonne A. Pereira

O drama da Bretanha

Romance da mesma série de
Nas voragens do pecado e *O cavaleiro de Numiers*

Pelo Espírito
Charles

Copyright © 1973 *by*
FEDERAÇÃO ESPÍRITA BRASILEIRA – FEB

11ª edição – 14ª impressão – 1 mil exemplares – 7/2024

ISBN 978-85-7328-777-6

Todos os direitos reservados. Nenhuma parte desta publicação pode ser reproduzida, armazenada ou transmitida, total ou parcialmente, por quaisquer métodos ou processos, sem autorização do detentor do *copyright*.

FEDERAÇÃO ESPÍRITA BRASILEIRA – FEB
SGAN 603 – Conjunto F – Avenida L2 Norte
70830-106 – Brasília (DF) – Brasil
www.febeditora.com.br
editorial@febnet.org.br
+55 61 2101 6161

Pedidos de livros à FEB
Comercial
Tel.: (61) 2101 6161 – comercial@febnet.org.br

Adquirindo esta obra, você está colaborando com as ações de assistência e promoção social da FEB e com o Movimento Espírita na divulgação do Evangelho de Jesus à luz do Espiritismo.

Dados Internacionais de Catalogação na Publicação (CIP)
(Federação Espírita Brasileira – Biblioteca de Obras Raras)

C475d   Charles (Espírito)

O drama da Bretanha / pelo Espírito Charles; [psicografado por] Yvonne do Amaral Pereira. – 11. ed. – 14. imp. – Brasília: FEB, 2024.

200 p.; 23 cm – (Coleção Yvonne A. Pereira)

Romance da mesma série de *Nas voragens do pecado* e *O cavaleiro de Numiers*

ISBN 978-85-7328-777-6

1. Romance espírita. 2. Obras psicografadas I. Pereira, Yvonne do Amaral, 1900–1984. II. Federação Espírita Brasileira. III. Título. IV. Coleção.

CDD 133.93
CDU 133.7
CDE 80.02.00

SUMÁRIO

Prefácio 7
Prólogo: As costas da Bretanha 9

1 A família de Guzman 17
2 Andrea e seu obsessor 27
3 Victor 37
4 O suicida reencarnado 47
5 O aleijado 55
6 Marcus de Villiers 63
7 Complicações 73
8 O obsessor 89
9 O sedutor 99
10 Em Saint-Omer 109
11 Os noivos 119
12 O conselho de família 129
13 Na hora do testemunho 145
14 Uma viagem ao Infinito 159
15 A vitória do obsessor 167
16 Uma página de Além-Túmulo 175
17 A ação benéfica da prece 183

Epílogo: A despedida 191

Prefácio

Há quarenta anos este livro foi-me ditado do mundo espiritual pela primeira vez. Seu primitivo autor assinava-se *Roberto de Canalejas*. Reencarnou, porém, logo depois de haver iniciado o ditado, numa resolução inadiável, a bem do próprio progresso, e não conseguiu terminar a obra. Eu era, então, muito jovem e inexperiente, ensaiava a literatura mediúnica sob orientação dos mentores espirituais, logo após o desenvolvimento da faculdade psicográfica, e a obra saiu imperfeita. Passaram-se os anos. Eu temia destruir os manuscritos porque considerava bela a narração, e por isso guardava-os como recordação do amigo Roberto que, como Espírito, tantas provas de afeição me dera. Também nunca recebi ordem do Alto para reconstituir o livro, não obstante outras obras já me terem sido concedidas, inclusive o romance *Nas voragens do pecado*, o primeiro da série de três que se relacionam na sequência do enredo e das personagens. Trata, portanto, este livro, de episódios vividos por algumas personagens de *Nas voragens do pecado*, nos trabalhos de reparação de faltas cometidas então. Um outro existe, anterior a este, ditado na mesma ocasião e pelo mesmo primitivo autor, isto é, há quatro decênios, o qual seria o segundo da série e no qual se historia a reencarnação imediata das mesmas citadas personagens. Mas, tal como este, conservado incompleto e imperfeito. Foram, pois, ditados salteadamente, começando do terceiro para o segundo e finalmente o primeiro, *Nas voragens do pecado*, obtido em 1959.

Há cerca de sete meses, porém, quando eu já considerava nada mais haver a fazer com os apontamentos guardados, apresenta-se o amigo espiritual *Charles* e diz:

— Reconstruiremos *O drama da Bretanha*. Seria injusto que perdêssemos uma obra que recebeu o beneplácito do Alto para ser divulgada.

E hoje ofereço ao leitor estas páginas que, espero, poderão servir aos necessitados de amor e justiça.

Yvonne A. Pereira
Rio de Janeiro (RJ), 9 de março de 1972.

Prólogo
As costas da Bretanha[1]

Na verdade vós, como nós, todos vivemos mergulhados num oceano espiritual imensurável, do qual se originam a ciência e a sabedoria possíveis ao espírito humano.

Essa a comunhão com o Espírito Santo, de que tratam as sagradas escrituras quando dizem: 'Ele mora em vós e convosco existe.'

(Imperator – Espírito guia de Stainton Moses)[2]

Desde épocas remotas, a Bretanha foi fértil em lendas sugestivas, pelo sabor dramático com que os bretões souberam revestir os acontecimentos desenrolados em seu seio, não raramente tocando-os dos matizes do mistério e do maravilhoso. Terra de antigos bárbaros, berço de príncipes ilustres, a Bretanha, adaptada às próprias lendas, ainda hoje oferece ao viajante algo de estranho e singular que atrai, comove e atemoriza. Sua topografia presta-se às insinuações da sugestão: enfeitada de montanhas agrestes, bordada de florestas consideradas outrora misteriosas, dando asas à superstição, contornada de ribanceiras selvagens deitando para o Atlântico Norte, sempre bravio em suas costas e cujas águas se esboroam

---

[1] N.E.: Antiga província da França, que formou durante muito tempo um ducado independente. Reunido à coroa de França em 1491, pelo casamento de Carlos VIII com Ana de Bretanha, só foi definitivamente anexado no reinado de Francisco I (1532). Capital Rennes. Formou os departamentos de Finistère, Côte-du-Nord, Ille-et-Vilaine, Morbihan, Loire-Inférieure (Atlantique). A Bretanha é uma península de xistos e granito, banhada dos três lados pelo oceano Atlântico (Atlântico Norte).

[2] BOZZANO, Ernesto. *Os enigmas da psicometria.*

ininterruptamente por entre contrafortes de pedras brutais, essa terra de fadas e gênios alados convida o pensador ao exame e à meditação, pois tão preciosos detalhes oferecem vestígios empolgantes de um pretérito atraente e quiçá inesquecível. Nenhum filho de solo francês teria sido mais orgulhoso, mais cioso dos valores da própria raça do que o foram os bretões. Talvez porque a Bretanha houvesse demorado a se incorporar ao território francês, os bretões preferiram sempre as suas sete famosas florestas e as suas superstições, as suas ribanceiras do Atlântico e os seus castelos seculares, suas misérias e suas crendices, seus piolhos e sua ignorância, ao restante do solo do país, suave e galhardo.

A Bretanha há sido rude, sombria, equívoca. Deu à França a mais audaciosa e original guerra civil de que há memória na história nacional francesa, a da Vendeia,[3] conflito estranho e trágico, que escondia o seu exército de camponeses, fiel ao realismo, nas entranhas da terra, no interior das florestas, solapando o terreno com subterrâneos, e onde o bretão ignorante, miserável e oprimido pelo regime ainda feudal lutava selvagemente contra os defensores dos seus próprios direitos de cidadão livre de uma república, preferindo defender a causa absolutista dos seus escravizadores seculares, isto é, os nobres e aristocratas, acomodados à ignorância do servilismo depressor.

Mas, acima de tudo, a Bretanha é encantadora. Há em sua atmosfera certa nostalgia indefinível, que nos envolve em impressões imorredouras. O céu de opala, de um azul esgazeado, a atmosfera saturada de frescas neblinas, o oceano rumoroso, elevando eternos brados heroicos ao longo de suas costas eriçadas de reentrâncias pedregosas, as florestas pujantes, de onde se exalam perfumes saudáveis e penetrantes, os castelos feudais, pesados, evocando o rigor medieval, as torres maciças que ornam os seus vilarejos e ainda as ruínas evocativas de uma época bela, forte e trágica, cativam o coração daquele que um dia recebeu por berço as suas terras lendárias.

---

[3] N.E.: A guerra da Vendeia teve lugar durante a Revolução Francesa e foi movida entre os dois partidos: Nobres e Republicanos, mas auxiliada pela Inglaterra, que se aliara ao partido da nobreza.

O drama da Bretanha

Ao aportar na Bretanha, a primeira impressão que assalta o viajante de Além-Túmulo é a de que dramas intensos estigmatizaram para sempre sua ambiência etérea, tecendo-lhe a singularidade de uma *aura-arquivo* toda especial, repleta de motivos para especulações variadas, apaixonadas, impressionantes.

Em remota migração terrena, eu fui bretão. Nasci, então, nessa terra de príncipes ilustres e honrados, orgulhosos e conservadores, que, ao explodir a Revolução, quando caía a cabeça infeliz de Luís XVI[4] e a nobreza se viu perseguida e batida pelos dias do Terror,[5] preferiram morrer ou emigrar a confraternizar com o povo triunfante, ao qual se haviam habituado a tratar como vilão.

Os Espíritos ainda preocupados com os ambientes terrenos não são insensíveis aos locais onde viveram como homens, onde sofreram, amaram, trabalharam e progrediram. Visitam, algumas vezes, essas estâncias desoladas da Terra, que lhes serviram de berço e onde, quase sempre, veem reencarnados para pelejas novas que lhes conferirão méritos indispensáveis outros Espíritos que compartilharam de suas vidas e a quem continuam a amar com desvanecimento. E colhem, de cada vez que o fazem, novos cabedais de experiência nas recordações que a vista do local onde habitaram faz eclodir em sua memória superexcitada.

Eram aproximadamente dez horas da manhã quando planei sobre Rennes, a velha capital da província, pouco depois do armistício que pôs fim à Primeira Guerra Mundial, por todos denominada a "Grande Guerra".[6]

---

[4] N.E.: Rei da França (1774 a 1791), da dinastia de Bourbon. Obrigado a jurar a Constituição, tentou fugir da França em 1791 e frear a Revolução, tornando-se impopular. Preso, foi acusado de traição, condenado à morte e guilhotinado.

[5] N.E.: Nome atribuído a dois períodos da Revolução Francesa. O primeiro deles (10/8 a 20/9/1792) foi causado pela invasão prussiana e manifestou-se pela prisão do rei e pelos massacres de setembro. O segundo (5/9/1793 a 28/7/1794) solidificou-se com o encarceramento de numerosos suspeitos, muitos deles guilhotinados. O Tribunal revolucionário foi um dos instrumentos do Terror.

[6] N.E.: Conflito armado ocorrido no período de 1914 a 1918.

Deslizava eu pensativamente por suas ruas atingidas de melancolia devida às neblinas do mês de outubro. Indeciso, procurei o antigo berço natal e revivi, uma a uma, as cenas gratas ou dramáticas do que fora a minha vida de então, como se, sobre um altar sagrado e muito querido, eu relesse páginas inesquecíveis de um breviário fértil, cujas lições me conduziram a etapas novas de progresso. Mas o muito se concentrar sobre um pretérito que se deverá antes esquecer angustia e exaure o coração... e afastei-me entristecido, preferindo deslocar-me tão lentamente quanto mo permitisse a condição espiritual, procurando a orla do oceano. E cheguei às ribanceiras rudes de certa localidade próxima de Vannes,[7] ou seja, em certa aldeia outrora denominada Saint-Omer. Encontrei-me, então, em local singularmente sombrio e agreste, mesmo angustiante. Acheguei-me às bordas do oceano, constatando impressionante abismo de águas enfurecidas em lutas incansáveis contra os penhascos precipitosos que se suspendiam a alturas não inferiores a 50 metros. Em torno, silvas e arvoredos frutíferos como que abandonados, velhos carvalheiros requerendo melhores tratos, acácias e castanheiros evocativos e como desolados, enfrentando os bramidos ininterruptos das águas revoltas.

Subitamente, dentro do silêncio da manhã tranquila, e quando só o Atlântico parecia traduzir o ritmo da movimentação planetária, um grito doloroso de desespero, sinistro brado de horror e agonia, de alguém que se houvesse precipitado daquelas imensas penedias ao seio das águas, quebrou a placidez do momento, despertando minha sensibilidade para a surpresa a que não me pude furtar. Seguiu-se um gargalhar diabólico, tal se alguém, louco enfurecido, partilhasse com alegria blasfema do desastre que motivara o grito angustioso, gargalhar que me levou a rever os esgares das falanges obsessoras que, no mundo invisível, eu me habituara a contemplar durante os serviços de socorro às trevas da ignorância, no incentivo à renovação individual de pobres sofredores delinquentes, serviços que frequentemente era-me necessário realizar.

---

[7] N.E.: Uma das cidades principais da Bretanha.

O drama da Bretanha

Aproximei-me, ligeiro, do local de onde tinham partido as duas vibrações, o brado de horror e o gargalhar. Distendi a visão espiritual, investigando a profundidade das águas, à procura do corpo humano que certamente se precipitara ali, devassando longamente as reentrâncias das pedras, as furnas marítimas das imediações, a profundidade e a largueza do oceano, a fim de prestar socorro ao pobre Espírito que em tão sinistras condições abandonava o seu fardo corpóreo. Nada encontrei, porém, como igualmente nenhum vulto humano ou forma perispiritual, descobri nos locais examinados. Eu percebera, no entanto, que ambos os rumores dir-se-iam difusos pela atmosfera, antes traduzindo a vibração do eco do que mesmo o som imediato do acontecimento, e investigava ainda, examinando as ondas luminosas do éter local, que o magnetismo oceânico singularmente conserva, quando três novos gritos, aflitos e seguidos um do outro, traduzindo inconcebível desesperação, emocionaram-me vivamente, atestando, porém, vozes masculinas diferentes, mais longínquas do que os dois primeiros, e repetindo, como se vibrados todos por entre lágrimas de exasperado horror:

— Andrea!... Andrea!... Andrea!...

Quedei-me pensativo, pois nada via no local. O primeiro grito ouvido fora de mulher jovem, certamente de uma adolescente. O gargalhar dir-se-ia de réprobo de Além-Túmulo. Os três gritos seguidos, chamando Andrea, seriam de homens jovens e de um ancião. Que teria acontecido pelas imediações, para que tão trágico registro assinalasse de tal modo as vibrações da matéria fluídica do ambiente?

Examinei os arredores: do local onde me encontrava, a uma altura de 50 metros estimativos sobre o nível do oceano, prolongava-se para o continente o vestígio de uma estrada nobre que, a despeito do abandono em que se encontrava, deixava entrever ainda um passado de esplendor. Tufos de velhos rododendros vermelhos, de glicínias e giestas, frondosas galhadas de lilases e acácias e profusão de plantas preciosas, próprias de antigos parques senhoriais, deixavam-se notar por entre silvas e espinheiros, enquanto carvalheiros e pinheiros soberbos recordavam o esplendor de um parque que outrora teria sido o orgulho de velhos fidalgos bretões. Deslizei sobre essa estrada como que ouvindo ainda as vibrações, dispersas pelo ar, do rodar das carruagens e caleças que por ela transitaram em paradas recreativas... e deparei, não longe, um velho castelo estilo renascença, ornado de heras, meio envolto já no sudário aniquilador de incipiente ruína.

Penetrei então o interior do solar, que era nobre e patriarcal. Um guarda, único vivente naquela região desolada, sentado sobre um degrau de mármore, que o limo devastava, fitava o vácuo, sem me perceber à sua frente, saboreando seu modesto cachimbo enquanto se aquecia ao Sol indeciso da manhã de outubro. E, porque tivesse eu aguçado a visão, a fim de tudo investigar com precisão e rapidez, descobri, no vestíbulo da entrada nobre, os pergaminhos ali encerrados por descendência indiferente, que jamais frequentava o solar perdido entre bosques e o litoral selvagem, e li arquivos de antigas personagens ali residentes: "Relatório e descendência (árvore genealógica) das famílias de Guzman d'Albret e de Guzman d'Evreux, desde o século XIII aos atuais titulares. Vannes, 27 de fevereiro de 1806".

Uma árvore genealógica, com efeito, apresentava-se desenhada em pergaminho precioso, distendendo os seus galhos de gerações desde o ano de 1230, com o enlace do primeiro conde de Guzman, cuja origem era a Espanha, mas cujos descendentes se ramificaram pela França, pela Áustria e Países Baixos, transpondo a eufonia para a pronúncia Guttmann.

Interessaram-me especialmente, porém, os últimos habitantes do Castelo, pois entre eles descobri o prenome *Andrea*, e, assim sendo, cientifiquei-me de que foram eles:

O conde Joseph Hugo François de Guzman d'Albret e sua esposa Françoise Marie de Montalban d'Albret.

O drama da Bretanha

Seus filhos: Victor François de Guzman d'Albret e Andrea de Guzman.

O conde René d'Evreux e sua esposa Amelye de Guzman d'Evreux.

Seus filhos gêmeos: Arthur e Alexis de Guzman d'Evreux.

Cheio de curiosidade, galguei as escadarias e, uma a uma, visitei as dependências do Castelo, as quais me pareceram impregnadas por vibrações recentes, vivamente dramáticas e fortes. Lembrei-me do grito de horror que eu ouvira havia pouco, do nome *Andrea* aflitivamente bradado por três vozes varonis, e pesada emoção fez palpitar os refolhos do meu ser espiritual. Profunda tristeza me sombreou o Espírito, cujas vibrações se amorteceram ao impacto terreno. Senti pesar em meu ser, agora integrado numa ambientação material, a intensidade dos acontecimentos que aquelas nobres paredes testemunharam. Aquele solar, então, apresentou-se-me como relicário augusto de dramas e lágrimas que um pretérito tormentoso havia criado. Sentei-me, comovido, sobre vetusta poltrona Luís XIV, em damasco azul e ouro, e abandonei-me a esta invocação:

> *Ó potências augustas da minha alma! Distendei vossas percepções gloriosas pelo éter que circunda esta região desolada. Perscrutai os arquivos das ondas luminosas que vibram ainda em derredor desta habitação. Aplicai vossos sentidos mais poderosos, mais sensíveis, a examinar a fluidez sagrada das vibrações que ainda tumultuam na essência cósmica que envolve esta nobre mansão e seus sugestivos arredores. Palpitam ainda por aqui, eu bem o sinto, as repercussões impressionantes do que fizeram, do que pensaram, do que sofreram aqueles que nela habitaram pela última vez! Dai-me o poder de ler na sutileza dessas mesmas vibrações, fotografadas e impressas nas ondas luminosas do éter, as cenas do drama que entrevejo por meio das impressões que me molestam o coração! E mostrai-me o que sucedeu a Andrea, para que um fim terreno tão trágico a arrebatasse. Quem sabe se lições de grande valor moral eu aí colherei para mim próprio, ou para aqueles por quem sou responsável?*

Então, pouco a pouco, os meus sentidos espirituais, poderosos porque revigorados pela ação da vontade, se movimentaram, e um panorama extenso descortinou-se aos meus olhos, desenrolando-se o drama que trasladei para estas páginas, drama que, um dia — quem sabe? — poderá também ser presenciado pelo leitor na ação da vida espiritual, visto que suas cenas perdurarão por milênios impressas nas vibrações da luz.

O Castelo, nobre e evocativo, apresentou-se então em todo o seu esplendor passado, fulgurante de luzes e movimentação... E compreendi que era a noite de Natal do ano de 1804.

1

A FAMÍLIA DE GUZMAN

A obsessão é a ação persistente que um Espírito mau exerce sobre um indivíduo. Apresenta caracteres muito diversos, desde a simples influência moral, sem perceptíveis sinais exteriores, até a perturbação completa do organismo e das faculdades mentais. Oblitera todas as faculdades mediúnicas; traduz-se, na mediunidade escrevente, pela obstinação de um Espírito em se manifestar, com exclusão de todos os outros.[8]

Comemorava-se ainda em toda a França um dos maiores acontecimentos que sacudiram os seus destinos gloriosos e os destinos do mundo, porque nenhum acontecimento importante da França deixou jamais de se irradiar para além das suas fronteiras: Napoleão Bonaparte, jovem herói de inesquecíveis batalhas, o vencedor de Montenotte e Mondovi, de Castiglione e de Arcole, de Rivoli e de Marengo; Bonaparte, o primeiro cônsul do Diretório famoso, após a queda da realeza, sobre o qual tantas esperanças repousavam, fora coroado Imperador dos franceses, sob os mais lisonjeiros auspícios de um povo exausto de apreensões e sofrimentos, povo que estremecia ainda à trágica lembrança dos dias do Terror e da Guerra da Vendeia, que regaram de sangue a pátria venerável.

---

[8] KARDEC, Allan. *O evangelho segundo o espiritismo*, cap. 28, it. 81.

Era assunto preferido, em todas as comunidades da França, a capacidade do grande general para conduzir as rédeas do governo à altura conveniente a uma nação civilizada, seus predicados de político astuto e sagaz, sua ousadia de soldado. Muitos nobres franceses, exilados desde antes de 1793,[9] regressavam agora à pátria, saudosos e confiantes, tolerando a usurpação do trono que, por direito, cabia aos Orléans, esperançados de uma fruição de paz permitida por um governo bem mais dignificante, porque um Império, do que aquele que se pretendia impor sob a inspiração da Convenção Nacional, enquanto antigos republicanos depunham opiniões liberais para servirem ao grande corso, que tantas glórias já conquistara para as armas francesas, elevando a pátria no conceito mundial. E, na cidade de Lyon, num extremo da grande nação, nascia aquele que seria o escolhido do Alto para oferecer ao mundo a mensagem do Consolador, que o Cristo prometera aos homens para seu conselheiro e protetor nas asperidades da existência: *Hippolyte Léon Denizard Rivail*, o Allan Kardec,[10] autor da Codificação do Espiritismo.

Desde o dia 2 de dezembro, data em que se realizara a cerimônia da coroação do Imperador, o povo exultava em festas, confiante no advento de uma realidade de paz, de labor e progresso para o país, tinto do sangue de tantas vítimas e exausto de ver funcionar a sinistra máquina do Dr. Guillotin, ou seja, a guilhotina. Bem cedo tais esperanças seriam desfeitas por uma realidade igualmente de sangue, pois o Imperador não correspondeu às esperanças do povo, que aspirava à paz, mas, então, a alegria era imensa e todos sonhavam com aquilo que só existiria em seus corações.

Dentre os fidalgos exilados no estrangeiro, com a queda da realeza e a perseguição aos nobres, promovidas pelas leis da Revolução, destacavam-se, pelo número, os bretões, que, por assim dizer, partiram em massa para o exílio ou tombaram em luta inglória. E dentre os bretões

---

[9] N.E.: Ano em que se iniciou o período governamental republicano denominado Terror, quando a tirania foi exercida e a guilhotina ceifava vidas preciosas, até mesmo fazendo cair a cabeça do rei Luís XVI e da rainha Maria Antonieta.

[10] N.E.: Allan Kardec nasceu a 3 de outubro de 1804.

O drama da Bretanha

acabavam de regressar ao berço natal os condes de Guzman d'Albret e de Guzman d'Evreux, os quais, sensatamente, prevendo o que sucederia à França com a tomada da Bastilha pelo povo enfurecido, em 1789, a tempo se haviam transportado para a Espanha por via marítima, sem que nenhum incidente os perturbasse, pois, vivendo no seu Castelo solitário à beira-mar, nos arredores de Vannes, na Bretanha, fora-lhes fácil escapar em embarcações inglesas que, pela época, se aplicavam a humanitário trânsito clandestino de passageiros pelas costas da mesma Bretanha, cuidadosos de salvarem do opróbrio da desonra e da morte a fina raça da fidalguia bretã e francesa.

Ali, pois, em Espanha, permaneceram os de Guzman d'Albret e de Guzman d'Evreux encerrados no seu Palácio de Madri, onde levaram existência recatada, durante o furor desencadeado pela Junta Revolucionária sediada em Paris, amargurando-se sempre que notícias atrozes chegavam à Espanha, quando sabiam que amigos queridos e fidalgos ilustres haviam sucumbido sob a vingança dos revolucionários, mas glorificando os Céus ao constatarem que nem uma só gota de sangue dos de Guzman havia corrido, nem mesmo depredações ou confiscos de sua aprazível residência de Saint-Omer, nos arredores de Vannes, onde apenas alguns serviçais haviam ficado, a fim de zelarem pela propriedade.

Era a noite de Natal.

Exultava a numerosa família por se ver assim reunida no solo pátrio, pois até mesmo o primogênito da casa, o visconde Victor François, que passara longo tempo no Oriente, agora regressava jubiloso, ostentando precioso pergaminho de doutor em Medicina e em Ciências Esotéricas, curso que fizera em antigas faculdades da velha pátria dos faraós, o Egito.

Em torno da mesa alinhavam-se todos, para a ceia de Natal, depois de haverem entoado hinos sacros apropriados para o momento. Tratava-se de adeptos da Igreja Católica Romana, como bons bretões que se orgulhavam de ser, com exceção de Victor, que, avançado em ideais e convicções sorvidos em estudos filosóficos da escola egípcia, rendia antes respeito a todas as crenças, considerando-as sublimes em essência, mas reservando-se o direito de particularmente optar por uma ciência que seria o ideal augusto da renovação cristã aplicado ao transcendentalismo das antigas doutrinas secretas, que desde épocas imemoriais jorram do Infinito revelações e inspirações para aqueles que se têm tornado capazes de recebê-las, assimilá-las e praticá-las.

Além do velho conde Joseph Hugo François e de sua esposa, Françoise Marie, viam-se, rodeando a mesa, Victor François, o jovem filósofo-médico; Andrea, sua irmã, linda menina de 15 anos, nascida na Espanha, pelo início da Revolução, mas considerada francesa por tradição, a qual somente agora realmente conhecia o irmão mais velho, a quem deveria amar e respeitar como o segundo chefe da família; Arthur e Alexis de Guzman d'Evreux, os gêmeos, de 18 primaveras, sobrinhos do conde Joseph Hugo, filhos do conde René d'Evreux e da condessa Amelye, ambos falecidos, além de outras personalidades que, com idêntica dignidade, usavam o nome venerando de Guzman, que desde o século XIII se orgulhava da sua excelente descendência.

Particularizava-se a família pela ternura, o respeito e a consideração com que se prezava, sentimentos que seriam o padrão da felicidade que parecia irradiar de cada um daqueles corações honrados, observadores da justiça e do dever.

Nessa noite memorável, quando já uma rica árvore de Natal fora despojada das prendas que lhe baloiçavam dos galhos, para alegria dos jovens da casa e de pequeno número de comensais infantis arrecadados pelas cercanias, dir-se-ia que todas aquelas amoráveis personagens haviam sido escolhidas para destinos invulgares, quiçá para triunfos singulares em setores imprevisíveis da vida. A verdade era, porém, que um grupo ali havia, comprometido com as Leis da Providência, por erros graves do passado, e se reunia para inadiáveis reparações e necessárias reformas pessoais.

O drama da Bretanha

Até o primeiro e o segundo brindes, a conversação na mesa limitou-se quase que exclusivamente a respeito de Victor, seu regresso do Oriente, seus estudos sobre Ciências Esotéricas, suas peregrinações aos lugares apontados como testemunhas da vida de Jesus, suas investigações sobre o Mestre nazareno, as esperanças que a França depositava em Napoleão e sua recente coroação como Imperador dos franceses. A pedido dos presentes, Victor discursava sobre os princípios da Doutrina que adotara durante a permanência no Oriente: a imortalidade da alma, sua origem divina, a migração e a emigração das almas, ou reencarnação; a comunicação dos Espíritos com os homens, a cura de enfermos pelos processos espirituais e magnéticos, as faculdades da alma, criada à semelhança de Deus pelos valores dele recebidos, os quais devem progredir e se aperfeiçoar até o auge das próprias possibilidades, a necessidade de aquisição de virtudes e integração com o bem, para a possibilidade de ventura entre os homens, enfim, toda a longa e bela exposição dos ensinamentos das doutrinas secretas que no Oriente tiveram o seu berço e de lá se expandiram para reeducar e engrandecer os homens.

Todos ouviam o nobre discursador, encantados e surpresos, bebendo suas palavras, como se inebriando na revelação de alvíssaras celestes que lhes transportassem a alma.

A certa altura da solene cerimônia, porém, e após o terceiro brinde — o brinde de honra, feito ao Natal de Jesus — o senhor de Guzman d'Albret exclamou, pedindo vênia em atitude cerimoniosa e passando a ser ouvido com religiosa atenção, pois tais preâmbulos indicavam assunto grave a ser comunicado à família:

— Passada que foi a borrasca que violentou a França — começou ele —, eis-nos novamente reunidos nesta grande noite, meus amados, reiniciando tradição secular em nossa família.

"Duplamente jubiloso dirijo-me a vós, depois de convidar-vos, dos quatro cantos da Europa, para as comemorações desta noite, júbilo por vos ter sob meu teto após tão longos períodos de angústia e quando, retornando todos do exílio, um noivado será anunciado pelos de Guzman d'Albret..."

Suspendeu-se o orador, propositadamente aguçando a curiosidade da família. Victor, recém-chegado, percebeu que todos os olhares o fitavam, indagadores. Perturbou-se, imaginando que os pais o haviam surpreendido com uma noiva que ele absolutamente não pretendera e vendo-se alvo de todas as atenções. Circunvagou, então, também ele, o olhar perscrutador pela mesa, investigando quem, dentre aqueles primos e primas ali reunidos, teria possibilidades de um noivado oficializado naquela noite, pois custava-lhe crer que o pai, tão seu amigo, o não consultasse em tão significativa emergência.

Era, com efeito, tradição da família de Guzman anunciar o noivado dos seus jovens representantes à mesa da ceia de Natal. Muitas vezes, para essa singular cerimônia, a que emprestavam brilho especial, reuniam-se representantes da família, provindos de toda a Europa, na residência do varão que se comprometeria para futuros esponsais, a fim de abrilhantarem o acontecimento e testemunharem o compromisso, o que a este solidificaria de tal forma que a um e outro prometidos seria impossível recuar na palavra empenhada, a menos que se desonrassem perante o conceito de toda a família. Lá estavam, com efeito, as meninas Lucie e Claire, lindas e folgazãs, de Flandres; o visconde de Guzman de Montalban e seus três filhos varões; o conde e a condessa de Guttmann de Holeben e seus filhos Gracie e Ferdnand, da Baviera, e mais representantes da Lorena, da Alemanha, da Áustria, da Espanha, ao passo que Arthur e Alexis de Guzman d'Evreux não poderiam ser suspeitos de um compromisso de tal responsabilidade, dado que não haviam atingido sequer a maioridade.

Não obstante, prosseguiu o conde Joseph Hugo, o anfitrião, após verificar a emoção dos circunstantes, que continuavam guardando o mais respeitoso silêncio:

O drama da Bretanha

— Há quase dez anos não vemos realizarem-se esponsais na família de Guzman. É tempo, portanto, meus amados, de os varões da nossa raça meditarem sobre a necessidade de se continuar perpetuando esse nome, que há seis séculos vem mantendo a tradição honrosa das suas gerações. Temos, no momento, esparsos pela Europa, 26 jovens da família de Guzman na idade precisa para o matrimônio. No intuito de a estes incentivarmos para o significativo passo, a senhora condessa, minha esposa, e eu acabamos de consertar o compromisso de noivado, para as bodas daqui a três anos, entre os nossos queridos filhos Alexis de Guzman d'Evreux e Andrea de Guzman d'Albret...

Um murmúrio discreto acolheu a inesperada comunicação. Colhida de surpresa, a jovem Andrea titubeou, fitando insistentemente o pai e o prometido que lhe davam, enquanto este, que desde a véspera fora cientificado pelos tios da oficialização do acontecimento, que muito grato lhe era ao coração, levantou-se, curvou-se em vênia dirigida aos tios e exclamou gravemente, com visível emoção:

— Profundamente me honra essa promessa, senhor conde, a qual ardentemente desejo ver realizada em aliança perene... Recebo-a com a mais grata alegria do coração, visto que minha gentil prima Andrea de Guzman é merecedora de todo o meu amor e da minha admiração...

Joseph Hugo sorriu benévolo e satisfeito, enquanto Alexis prosseguia agradecendo a concessão da mão de Andrea e esta levantava-se em sinal de assentimento.

Foram então lidas as bases do contrato de aliança das duas famílias, que tinham como cabimento a leal afeição dos dois jovens, e os bens que cada nubente levaria por ocasião dos esponsais. A seguir, o importante documento familiar, passado de mão a mão, em toda a mesa, recebeu a assinatura das testemunhas presentes, como se já se tratasse do ato oficial a ser realizado dentro de três anos. Então, aproximaram-se os noivos um do outro, como exigia a cerimônia. Alexis osculou, respeitosamente, a destra de sua prometida, sentando-se a seu lado, risonho e encantado, ao passo que a ceia prosseguia e um quarto brinde era levantado, desta vez homenageando as duas figuras que se tornaram alvo das atenções gerais.

A partir desse momento é que Andrea de Guzman passou a ser atentamente observada por seus desconhecidos parentes da Europa.

Ela era formosa e esguia, com a pele alva e acetinada como as pétalas de uma camélia imaculada, os cabelos de um louro fulvo, arruivados, caindo em madeixas encaracoladas pelos ombros e ornando a fronte com anéis fartos e caprichosos. Trajava longo vestido branco à romana, moda que acabara de ser lançada pelo Império, durante a coroação de Sua Majestade, pois Josefina Bonaparte, no dia da coroação do esposo, assim se trajava, evocando as modas femininas e o fausto de Roma. Leves nuanças azul-celeste, sobre o tecido branco, delicado e cintilante, emprestavam tons dulcíssimos à silhueta de Andrea, dado que seus vestidos, amplos e vaporosos, lhe conferiam aspecto angelical de atraente beleza. Mas, acima de tudo, eram os olhos dessa jovem bretã espanhola que impressionavam o observador, olhos profundos, rasgados em amêndoas, de longos cílios castanhos e expressões melancólicas, por vezes assustadiços, cujas íris, de uma tonalidade azul forte, eram encantadores e incomparáveis em toda a família.

Entretanto, nem todos os circunstantes se rejubilaram com a participação do inesperado compromisso. Dentre os presentes, um coração havia que se conservara retraído e decepcionado, sem externar felicitações ou alegrias pelo evento, enquanto a ceia prosseguia entre expansões amistosas.

Arthur, o gêmeo de Alexis, surpreendido com o compromisso aceito pelo irmão, corara ao ouvir o tio anunciá-lo, crispando os dedos sob a ardência de forte emoção, ao passo que o coração se lhe precipitava no peito em pulsações dolorosas. Arthur amava Andrea tanto quanto o irmão a amava, ambos não ignoravam o que no coração do outro se passava, e esse sentimento, tão nobre e puro que se eternizaria na vida espiritual, revelara-se na infância por uma ternura incompreensível ao entendimento humano comum.

Ora, precisamente no instante em que o conde Joseph Hugo se erguia da mesa, dando por terminada a ceia, para que os convidados se apressassem para as danças no salão nobre, onde outros convidados já se movimentavam; quando Alexis oferecia a mão à sua linda prometida a fim de conduzi-la, segredando-lhe a ventura de que se sentia possuído, repercutiu pelo recinto, e todos os circunstantes a ouviram, uma gargalhada equívoca, abafada, como que difusa pelos quatro ângulos do salão.

Desagradavelmente surpreendidos, os comensais se voltavam, indagadores, buscando localizar o insolente que assim se portava em ocasião tão solene, sem, contudo, distinguirem qualquer novo convidado, enquanto o conde Joseph Hugo chocado, mas conciliador, exclamava, traindo excitação:

— Não, não vos impressioneis com esse fato insólito... Explicarei mais tarde o que isso significa...

E Andrea, tremente e emocionada, procurava refúgio nos braços maternos, exclamando, por entre convulsivo pranto:

— Ele, meu Deus, sempre ele, o meu algoz, que em sonhos ou em vigília não me permite um só dia de verdadeira satisfação! Sim, minha mãe, sei que ele reprova meu casamento com Alexis e que será em vão que eu alimente esperanças de felicidade. Suas preferências são antes para Arthur...

A condessa repeliu-a, como se se envergonhasse da expansão da filha diante dos convidados. Andrea ressentiu-se da repulsa de sua mãe em reconfortá-la, pois sabia, compreendia não ser devidamente amada por aquela que lhe dera o ser. Impressionante crise de nervos adveio, então, prostrando a jovem prometida. Estupefatos, os comensais não sabiam o que pensar em face do que presenciavam. A quem se referia Andrea? De quem falava, se ninguém estranho à família fora admitido para a cerimônia da ceia? Além dos criados, que se mostravam aturdidos com o singular acontecimento, nenhuma outra personalidade poderia ter atingido o recinto, a não ser que formas invisíveis o tivessem assaltado...

Retirada nos braços do irmão, que por ela sentia uma ternura toda piedosa e paternal, para os seus aposentos particulares, Andrea debatia-se em violento ataque de nervos, como se súbita possessão das trevas se arremessasse sobre ela, impossibilitando-lhe receber os cumprimentos dos convidados de seu pai no dia auspicioso em que se oficializara o seu noivado. Por sua vez, pensativo e inquieto, Alexis passeava de um para outro lado, numa recâmara próxima aos aposentos da noiva, enquanto seu gêmeo Arthur, abatido sobre uma poltrona, tamborilava nervosamente com os dedos sobre os braços da mesma. Em dado momento, porém, Alexis saiu, penetrou o recinto do oratório particular, que pertencera à sua mãe, Amelye de Guzman, e à sua avó, que fora a mãe que em realidade ele conhecera, Louise de Guzman, e ajoelhou-se diante do altar para orar, desfeito em pranto.

2

ANDREA E SEU OBSESSOR

Os Espíritos maus pululam em torno da Terra, em virtude da inferioridade moral de seus habitantes. A ação malfazeja que eles desenvolvem faz parte dos flagelos com que a Humanidade se vê a braços neste mundo. A obsessão, como as enfermidades e todas as tribulações da vida, deve ser considerada prova ou expiação e como tal aceita.[11]

Entretanto, uma vez iniciado, o baile prosseguiu, estendendo-se até altas horas da madrugada. Havia certo constrangimento entre os convidados, que se chocaram com o incidente verificado à saída da mesa. Mas a boa educação aconselhava que permanecessem discretos, não demonstrando impressões desagradáveis, e como o anfitrião suplicara que se divertissem sem mais preocupações, todas as vezes que a orquestra apresentava novo número de dança, o salão cintilava sob o encanto dos pares que iam e vinham em graciosos movimentos. Entre a nobreza, dançava-se ainda o minueto, não obstante a intromissão de danças mais modernas, e então via-se que aquela sociedade nada perdera do brilhantismo e da distinção conhecidos nos salões anteriores à Revolução; antes dir-se-ia ainda mais nobre e grave do que o fora no passado. No entanto,

---

[11] KARDEC, Allan. *O evangelho segundo o espiritismo*, cap. 28, it. 81.

nem Andrea, nem seu irmão Victor, tampouco seu prometido Alexis e seu primo Arthur compareceram às danças.

Retirando-se da mesa acompanhada por seu irmão, a jovem de Guzman, mal chegara aos próprios aposentos, tornara-se presa de terríveis explosões obsessoras. Violenta crise adviera, durante a qual acusações terríveis, explosões de ódio, ameaças e queixas dolorosas eram repetidas contra ela própria por uma entidade invisível, violenta e odiosa, que se revelava como personalidade de boa cultura intelectual, mas de inferior educação moral. E isso era frequente, era comum desde a infância de Andrea, em Madri. Não podia a menina viver tranquila, não lhe era permitido desfrutar um único dia de alegria, pois no momento em que se visse na fruição de uma satisfação advinham tais crises, que a prostravam, depois, dias e dias, enferma e deprimida. Por isso mesmo, Andrea era triste e enfermiça, agitada e nervosa, raramente sorria, apesar de muito bela de formas e feições, e sua instrução não se encontrava à altura de sua condição social, porquanto o inimigo invisível não lhe permitia tréguas para o cultivo regular da própria instrução. Sua mãe sentia-lhe horror e abandonava-a aos cuidados de criadas e governantas, e seu pai demonstrava por ela tão manifesta aversão que ansiava casá-la para libertar-se da sua convivência.

Nessa noite de Natal, que seria uma das mais ditosas de toda a sua vida, se pudesse tornar-se criatura normal, sua crise fora das mais fortes. Dir-se-ia contrariado o seu inimigo invisível, o qual a dominava então com verdadeira possessão, e dizia implacável, por intermédio da própria, aos gritos, em vociferações odiosas, enquanto a jogava ao chão:

— De forma alguma deixá-la-ei unir-se a Alexis... Matá-la-ei antes que isso aconteça. São dois criminosos, que merecem castigo... Eu preferiria Arthur, pois ela deve-lhe duas grandes reparações... Mesmo porque eu amo Arthur, ele é o meu filho querido de sempre... Ai dela se me desobedecer! Odeio a miserável com todas as minhas forças, pois que duas vezes ela desgraçou meu pobre filho, por quem ainda hoje sofro, recordando aquele deplorável passado... Hei de fazê-la padecer o mesmo que meu filho padeceu por ela, vocês verão, vocês verão! Hei de atormentá-la sem tréguas, como sem tréguas ela nos tem atormentado desde aquele fatal dia 20 de outubro de 1572, em que se insinuou ao meu Luís para destruir-lhe a paz e a vida, quando eu o via tão voltado para Deus...

Em seguida, calando-se, atirava-a ao chão, como espancando-a; apertava-lhe o pescoço, sufocando-a, fazendo-a espumar com a língua para fora; rolava-a pelo chão, martirizando-a, enquanto, sem perder a consciência, ela bradava por socorro e compaixão, chorando e praguejando inconformada... E se alguém a examinasse veria então que seu rosto, suas mãos, seu pescoço estavam arranhados por unhas aguçadas, enquanto seu corpo todo mostrava sinais de chicotadas.[12]

Ora, Arthur de Guzman d'Evreux, cansado de ouvir as ânsias de sua prima, resolveu intervir. Encontrava-se ele num gabinete próximo, velando em companhia do irmão.

Era reconhecido por toda a família que Andrea era possuída de entidades infernais, e seus pais e demais familiares não tinham ideia definida sobre o que realmente acontecia, mas pelo menos compreendiam a anormalidade, certos de que um Espírito diabólico a atormentava, tal como aqueles que o Evangelho descrevia. Sabia-se também, entre a família, que Arthur possuía o poder de acalmar a jovem nesses momentos dolorosos, ao passo que Alexis irritava-a ainda mais, o que àquele concedia certa ascendência sobre a prima. Pedindo, pois, permissão aos tios, Arthur penetrou o aposento onde a obsidiada se espojava pelo chão e muito naturalmente convidou-a a calar os gritos que proferia, a levantar-se e sentar-se junto dele. Andrea obedeceu. Arthur tomou-lhe da mão, beijou-a e começou a falar-lhe docemente, ao passo que ela se debulhava em pranto. Mas Victor penetrara também o aposento e assistira à cena, enquanto Alexis, aflito e sofredor, permanecera onde se encontrava.

---

[12] N.E.: Efeitos físicos promovidos pelo obsessor.

O doutor em doutrinas secretas, porém, conhecia o fenômeno que se verificava com a irmã e, pedindo, por sua vez, vênia a seus pais, resolveu tentar alívio para a infeliz sofredora e paz para a família, com os conhecimentos que possuía. Fez com que Arthur se levantasse de junto de Andrea e a esta fez sentar-se no centro do aposento, na mesma poltrona, e rogou aos presentes, que eram seus pais e Arthur, que a Deus orassem mentalmente e silenciassem. Orou ele próprio, em súplicas ao socorro divino, após, sobre a cabeça de Andrea, as mãos espalmadas, como lhe transmitindo forças psíquicas especiais para a verificação do transe necessário e, de chofre, sentando-se diante dela, interrogou tão naturalmente como se se dirigisse a uma entidade humana, mas, em verdade, dirigindo-se ao obsessor:

— Quem és, e por que procedes tão desumanamente com minha irmã?

A entidade invisível, que se servia das faculdades transmissoras de Andrea, empertigou-se na poltrona, como se se sentasse mais comodamente por meio dela, e respondeu:

— Com que direito fazes semelhante pergunta? Por que pretendes devassar o mistério que nos envolve, a mim e a ela?...

— Com o direito que tenho de amar a Deus e ao meu próximo e de praticar a beneficência, e porque, para mim, não é mistério a vida que vives e o que se passa entre ti e minha irmã...

E, com esse início, longo diálogo seguiu-se.

Victor sabia que não era normal nem vantajoso conversar com aquela entidade perseguidora por intermédio de sua irmã, a quem a mesma atormentava, pois Andrea não era veículo recomendável, visto tratar-se de uma enferma afeita às irradiações vibratórias inferiores do seu perseguidor.[13] Sabia que o assédio constante de um perseguidor

---

[13] N.E.: O obsessor não deve ser doutrinado por intermédio do obsidiado, e sim de outro médium, cujas condições psíquicas ofereçam maiores garantias de bons êxitos.

O drama da Bretanha

daquela ordem obliteraria as funções psíquicas do intermediário humano[14] e que, em tal estado, pouco se poderá esperar dele para um intercâmbio necessário à sua cura. Todavia, em vista da urgência da situação, e desejando inteirar-se dos acontecimentos que enredavam a irmã, tentava o fenômeno esperando êxitos da empresa, pois sabia também ser possível conversar com uma entidade perseguidora por intermédio do perseguido, embora, dessa forma, não seja possível curá-la ou erradicar o mal definitivamente.

Ouvindo-o, a entidade, vigorosamente dominando a mente de Andrea — porque frequentemente o obsessor chega a incorporar-se em sua vítima —, respondeu o Espírito maléfico:

— Bem... Sou um velho conhecido teu. Sempre te admirei e te respeitei, pois és bom e virtuoso, e até quero-te bem, porque o mereces. Por isso, respondo-te e retraio-me em tua presença. À tua irmã, porém, eu odeio e a ela farei todo o mal que puder...

— Trata-se de um ódio gratuito ou de uma vingança?

— Sabes que não existe ódio gratuito. Cheguei mesmo a amar essa menina, em outro tempo... Trata-se de uma vingança, pois não me conformo em aceitar passivamente a maldade dela...

— E a prática desse crime, a vingança, dar-te-á felicidade? Perseguindo, assim acobertado pelo estado invisível, a um ser indefeso, não vês que superas a sua própria maldade, da qual te queixas? Agradeço-te, porém, o bem que me queres, aceito a tua boa vontade a meu respeito e desejo conservá-la. Queres ser meu amigo?

— Sou teu amigo há séculos, embora no momento não possas te lembrar de mim... Chamei-me monsenhor de B. no século XVI e fui alta

---

[14] N.E.: Médium.

personagem religiosa no reinado de Carlos IX[15] e Catarina de Médici. Chamei-me Arnold Numiers no século XVII e novamente fui teu amigo... Mas ela... Ela não mereceu a ti nem a mim... Traidora sempre, tem levado meu filho ao desespero com seu coração de ferro, que jamais se comove com o amor sagrado que ele lhe consagra. Tudo tenho tentado para destruir no coração de meu filho esse malfadado sentimento que o dominou para sempre. Mas ele resiste a tudo porque a quer desde os tempos de Roma... E mais fácil será destruir céus e terra do que arrancar do seu coração a imagem desse amor...

— E quem é o teu filho, meu amigo, posso saber?

— Chamou-se Luís de Narbonne no século XVI, foi religioso e soldado, chamado o "Capitão da Fé" por seus admiradores, foi príncipe e conde, mas morreu numa prisão secreta, desesperado de amor e de dor, ali atirado por ela e pela rainha Catarina, sempre ela... Chamou-se Henri Numiers no século XVII e foi um valente cavaleiro, destemido e generoso, mas suicidou-se, atirando-se de uma pedreira, aniquilado por nova traição. Bem vês que razões me sobram para detestá-la e vingar a dignidade ofendida de meu pobre filho. Agora chama-se Arthur de Guzman d'Evreux e aí está junto dela. Sei que ele muito sofrerá, pois já sofre... Que será dele? Ele ama-a ainda e sempre, pois não vês? Por que querem dar a ela o outro, em matrimônio? Meu filho, então, não tem direitos a realizar o que o faria feliz? Talvez que, se eu o visse feliz, pudesse tudo perdoar e esquecer... Mas afianço-te que o casamento que projetam não se realizará: eu o impedirei!

Françoise Marie de Guzman, a mãe de Andrea, pôs-se a tremer e a chorar, horrorizada com o que ouvia do "demônio" que se apossara de sua filha. Arthur e seu tio, porém, atribuíram a conversação de Andrea às fantasias da sua mente debilitada pela enfermidade, pois a jovem, segundo eles, era dada a leituras fortes, histérica e epiléptica. Somente Victor compreendia integralmente a verberação da entidade.

---

[15] N.E.: Carlos IX da França, filho de Henrique II e de Catarina de Médici. Foi rei da França de 1560 a 1574.

— Dá-me ímpetos de esbofeteá-la, a fim de vê-la cessar esse palavreado incompreensível — murmurava o pai, enquanto Victor respondia ao ser espiritual comunicante:

— Lamento tudo isso, meu amigo. Mas bem sabes que não me posso lembrar dos acontecimentos a que te referes. Acredito, porém, no que me dizes e que Andrea seja culpada. Em nome do Altíssimo, porém, desejo fazer contigo um pacto. Queres ouvir-me?

— A ti, nobre Carlos Filipe de La-Chapelle, nada poderei negar... Desejo mesmo servir-te, desagravar-te, pois meu filho pecou contra ti e, repito, fui e sou teu amigo...

— Chamas-me por um nome que não é o que trago presentemente. Que significa isso?

— Era o nome que trazias no século em que te conheci e em que meu filho errou contra ti... Mas sei que o perdoaste e sinto-me tranquilo por esse lado. Fala o que desejas.

Então, Victor de Guzman propôs o seguinte ao obsessor de sua irmã:

— Se me conheces, meu amigo, sabes que também eu amo profundamente a minha irmã, essa Andrea a quem odeias, da mesma forma que amas a teu filho. Assim, pois, como desejas defender a felicidade de teu filho contra Andrea, eu desejo defendê-la contra o teu ódio, não, porém, vingando-me de ti ou molestando-te, mas preparando-a para que saiba querer teu filho como ele merece e a Lei de Deus permitir. Dizes que teu filho ama Andrea. Pensas que ele será feliz vendo-a desgraçada? Crês que, no dia em que ele se capacitar de que és tu que a fazes sofrer, poderá ele amar-te e respeitar-te? Em nome de Deus altíssimo, proponho-te tréguas nesse litígio em que te empenhas. Em nome de Deus altíssimo, rogo-te, Arnold Numiers, que me concedas a caridade de suspender teus ataques contra minha irmã por algum tempo, ao menos. Dá-me possibilidade de reeducá-la e torná-la merecedora do amor de teu filho e do teu amor... Se ela errou contra vós ambos, foi porque era ignorante, não conhecia Deus...

— Não! Ela errou porque era má, era pérfida, era vil, era ingrata, possuía todos os defeitos! Não creio que consigas domá-la ou reeducá-la. Ela precisa sofrer para aprender a respeitar ao menos aqueles que a têm amado e servido. Somente a força do destino terá ação sobre ela. Eu sou uma porção dessa força...

— Deixa-me experimentar reeducá-la, fazê-la arrepender-se, aprender a renunciar às coisas deste mundo e só viver para o bem...

— Pedes-me, então, que espere séculos para ver se devo ou não castigá-la conforme pretendo? O que desejas fazer é obra confiada ao tempo, aos séculos...

— Será preciso então ajudar os séculos e eu os ajudarei, meu amigo. Peço-te tréguas ao menos por dois anos. Se nesse espaço de tempo eu não conseguir reeducá-la, libertar-te-ei do compromisso para comigo. Agirás, então, responsavelmente, diante de Deus, a quem prestarás contas do que fizeres. Não ignoro que minha irmã encontra-se seriamente comprometida com a Lei de Deus, e que, por isso mesmo, somente dela própria dependerá sua cura. Por isso, proponho-te o que ouves. Se assim for, isto é, se vires que Andrea se transforma para Deus e o próximo, quem sabe se tu mesmo não voltarás a querê-la como outrora e a felicidade conseguirá raiar para todos vós? Para ti e teu filho inclusive? Aceitas?

O Espírito maligno meditou durante alguns instantes, depois do que respondeu:

— Sou teu amigo. Sempre foste amigo dos teus semelhantes, amigo de meu filho, e meu amigo. Oh, lembro-me ainda de como eras bom para todos nós, em nossa aldeia da Flandres, e como consolaste o meu

Henri quando ela se foi com outro homem, abandonando-o... A ti nada poderei recusar. Aceito a tua proposta, embora não creia na conversão dela ao bem, como desejas. Ela é má, pérfida, traidora. Mas concedo-te os dois anos de tréguas. Quero ser sincero em avisar-te, porém, que me conservarei a distância, observando os acontecimentos. À primeira falta em que Andrea incorrer, servindo-se da própria vontade, eu voltarei a agir sobre ela.

— Obrigado! E a Deus prometo não ser feliz enquanto não vir minha irmã reabilitada das ofensas a teu filho, ou à Lei de Deus, ainda que tal coisa me custe séculos de trabalho e sacrifícios!

Françoise continuava chorando.

O senhor de Guzman d'Albret e seu sobrinho Arthur contemplavam a cena atenta e gravemente, sem darem crédito ao que presenciavam. No primeiro andar, a orquestra continuava animando o baile. Andrea respirou profundamente. Levantou-se da poltrona, estremeceu com violência e caiu estatelada sobre os tapetes, com um grito forte.[16]

Victor tomou-lhe da mão e disse apenas, docemente:

— Levanta-te, Andrea, em nome de Deus altíssimo!

E naquela noite a bela jovem de Guzman não compareceu ao baile, mas dormiu tranquilamente.

---

[16] N.E.: Modo pelo qual os Espíritos inferiores deixam os médiuns, e quando os mesmos instrumentos não se acham bastante educados na direção da sua faculdade.

3

VICTOR

Vinde a mim, todos vós que estais aflitos e sobrecarregados, que Eu vos aliviarei. Tomai sobre vós o meu jugo e aprendei comigo, que sou brando e humilde de coração e achareis repouso para vossas almas, pois é suave o meu jugo e leve o meu fardo.[17]

É tempo de procurarmos conhecer mais de perto as personagens da nossa pequena exposição.

Andrea de Guzman até então fora uma personagem sombria e apagada no seio de sua família. Sempre esquiva e solitária, repelida pelos pais, que visivelmente a depreciavam, considerada problema desagradável por estes e as governantas que a iam criando e educando mais ou menos bem, ela pouco falava e jamais se aliava a folguedos ou a simples recreios com amigos e parentes. Seu amparo, seu conforto moral eram os dois primos, Arthur e Alexis, que muito a queriam desde a infância e a cuja afeição retribuía com verdadeiro apego. Enquanto fora viva sua avó, Louise de Guzman, a menina tivera a seu lado um coração desvelado, que a protegera. Mas Louise morrera quando Andrea era ainda

---
[17] *Mateus*, 11:28 a 30.

uma menina, de modo que só lhe ficaram, mesmo, os dois jovens primos como esteio e consolo em suas amarguras. Amava ternamente o irmão, de quem ouvia falar com respeito e admiração, parecendo que de outras etapas reencarnatórias vinha o grande sentimento que lhe consagrava. Pouco o conhecia, por assim dizer, pois Victor fora em missão de estudos para o Oriente e só ao findar o drama da Revolução pudera privar da sua intimidade e refugiar-se na grande ternura com que ele sabia tratá-la.

Não era propriamente culta, mas parecia uma pessoa ansiosa por se revelar e progredir, e sentia-se tolhida pela opressão doméstica e pelos empecilhos consequentes da anormalidade que sofria. As circunstâncias de sua vida, atormentada por um obsessor, haviam dificultado sobremaneira a sua instrução. Não obstante, além de algumas letras, sabia música aplicadamente e cantava e tocava piano com acerto, o que representava grande refrigério para o seu estranho mal. E tinha o hábito de passear a sós pelo parque de sua residência durante a noite e até as primeiras horas da madrugada, procurando os recantos mais sombrios e desolados para se refugiar, em cujos bancos se sentava, ou mesmo sobre a relva dos canteiros, pondo-se a chorar ou a falar com seres imaginários, ou, talvez, com entidades adversárias que a assediassem, ou com a própria consciência.

Muitas vezes, seus primos Arthur e Alexis faziam-lhe companhia em tais passeios. Então, caminhavam os três enlaçados um no outro, mas em silêncio, e, se falavam, tratavam de assuntos banais, aparentemente indiferentes ao tumulto sentimental que lhes inquietava o coração. Mas, comumente, Andrea saía sozinha, às ocultas, depois que a casa silenciava, e demorava-se no parque até pela madrugada, sendo, por vezes, encontrada dormindo em algum banco de mármore pelo jardineiro que, pela manhã, iniciava tarefas entre os canteiros. Vivia, por isso mesmo, enfermiça, debilitada, atacada de constantes resfriados e tosses impertinentes. Os pais repreendiam-na, os primos temiam por ela e procuravam medicá-la, e para que isso não se repetisse fora preciso esconder chaves à noite e utilizar ferrolhos resistentes. Todavia, pouco tempo depois, ei-la de posse de chaves que lhe permitiam tais aventuras.

Ora, Andrea de Guzman era um Espírito que errara desastrosamente em suas duas anteriores encarnações terrenas e agora encontrava-se em trabalhos de expiação, resgatando no sofrimento as anteriores faltas de respeito a Deus e desamor ao próximo. Ela fora nada menos do que a bela Ruth Carolina de La-Chapelle,[18] que desgraçara Luís de Narbonne e vilipendiara o Evangelho com a traição aos seus princípios, praticando vingança cruel contra uma ofensa em vez de conceder o perdão ao adversário. Fora, depois, em reencarnação imediata, Berthe de Stainesbourg, na Flandres Ocidental, pelo século XVII, e reincidira nos mesmos conflitos, agravando-os sobremaneira com novas traições e desacato à família, aos amigos, à sociedade, ao próximo, a Deus. Era necessário, pois, agora, aceitar as consequências dos próprios desatinos. A misericórdia do Alto, porém, que não deseja a desgraça do pecador, mas sim a sua conversão ao bem, renovando os ensejos para a sua recuperação moral-espiritual, dera-lhe como amparo nas provações expiatórias do momento a presença de três corações que muito a haviam amado no passado reencarnatório: Victor, o irmão bem-amado do século XVI; Arthur, o Luís de Narbonne, que errara, que sofrera, mas cujo amor por ela resistira a todas as peripécias experimentadas; Alexis, o mesmo generoso Espírito que fora o príncipe Frederico de G., que a amara ternamente na mesma época e a salvara de um fim sinistro na posse de inimigos implacáveis. Ela poderia, portanto, vencer os testemunhos necessários sob o amparo de tão fiéis corações, bastando para isso elevar-se para Deus pelo cumprimento de sagrados e inadiáveis deveres.

Por sua vez, os gêmeos Arthur e Alexis, se eram unidos pelo nascimento, na realidade eram verdadeiramente estranhos moral e espiritualmente. Ambos possuidores de bom caráter, cavalheiros de escol cuja honradez de princípios demonstravam já aos 18 anos, revelavam-se

---

[18] N.E.: Personagem central da obra *Nas voragens do pecado*, do mesmo autor espiritual.

personalidades respeitáveis, dignas do apreço geral. Alexis, porém, era a serenidade personificada, cujos sentimentos religiosos inatos já o haviam levado a uma temporada de estudos num convento de Madri, pois aspirava, em verdade, ao ingresso definitivo na vida religiosa. A família, porém, contrária a essa vocação, desviou-o da ideia religiosa, insinuando-lhe o recurso de ser útil à pátria por meio da diplomacia e o casamento com sua prima Andrea, a quem ele docemente se afeiçoara desde a infância. Preparava-se, pois, para a carreira diplomática, pretendia transferir-se para Paris a fim de iniciar a carreira escolhida, era estudioso e culto, fino de maneiras, revelando galhardamente as qualidades de aristocrata, jamais esquecendo, no entanto, os deveres para com Deus e o respeito aos princípios do evangelho cristão. Era belo de formas, louro e esguio, pensativo e talvez melancólico.

Arthur, igualmente admirável, igualmente afeito a princípios nobres, era, contudo, avesso à religião, um descrente em Deus, um quase materialista aos 18 anos. Apaixonado pelo militarismo, já cursara escolas do gênero na Espanha e agora preparava-se para dirigir-se a Toulon,[19] onde seguiria a carreira das armas. Conhecia bem o hipismo e a esgrima, era valente e destemido e tudo indicava que seria brilhante o seu futuro nas armas. Escolhera a cavalaria como arma, era admirador das paradas militares e ansiava pelo dia em que pudesse partir para a Escola de Guerra, a fim de tratar do próprio futuro. Uma particularidade, porém, preocupava a família a seu respeito, e a ele próprio: Arthur não suportava a sensação das alturas. Uma nuvem de sangue — explicava ele — turbava-lhe os sentidos se porventura chegasse ao balcão de um terraço e olhasse para baixo. Ele tonteava, cambaleava e caía, privado de forças para dominar-se. Seguia-se uma crise de convulsões e contorções impressionantes, durante as quais seus olhos se dilatavam de horror, a boca se escancarava, como se gritos imaginários a dilatassem, e seus braços e suas mãos se agitavam aflitos, procurando qualquer corpo onde se agarrasse, a fim de socorrer-se.

---

[19] N.E.: Cidade marítima francesa, onde existem célebres escolas militares.

O drama da Bretanha

É que Arthur, o Luís de Narbonne do século XVI, reencarnara como Henri Numiers no século seguinte, num pequeno burgo da Flandres Ocidental, e fora suicida, atirando-se do alto de uma pedreira de granito e dando-se, assim, morte violentíssima e tenebrosa, cujas repercussões mentais-vibratórias em seu corpo espiritual (perispírito) carrearam para a existência seguinte os espasmos da agonia sofrida anteriormente. Naqueles momentos, portanto, explodiam dos refolhos da consciência de Arthur os choques vibratórios que seu ser espiritual sofrera, e ele revivia o instante supremo da sua queda na passada existência física. Esse traumatismo hediondo somente depois de longo tempo desaparecerá da individualidade espiritual do suicida.

Consultados desde o princípio da estranha enfermidade, os médicos de Madri e de Paris declararam que se tratava de choques nervosos pela sensação da altura, o que era verdade, mas que tais impressões desapareceriam com a idade e, principalmente, com a intensidade da vida militar, que o aguardava. Que apressassem o ingresso do jovem na vida militar e a cura seria certa. Mas, em verdade, Arthur sofria tais convulsões desde a primeira infância, mesmo sem qualquer sensação provocada por alturas. Estas, porém, invariavelmente provocavam o fenômeno, ainda que se sentisse bem. Era considerado epiléptico pela família, e essa fora a razão da escolha de Alexis para o matrimônio com Andrea, pois que não conviria aos de Guzman uma descendência assinalada por um mal incurável. No entanto, enganavam-se todos, porque o mal, conquanto incurável, não era físico, e sim psíquico e, portanto, não transmissível pela geração.

Os dois jovens irmãos pelo sangue não eram verdadeiramente amigos. Recíproco sentimento de desconfiança e repulsa impedia-os de se unirem com o amor fraterno. Eles não se compreendiam, censuravam-se por tudo e por nada, e jamais se confidenciavam, abrindo os corações em presença um do outro. A hostilidade mais pronunciada, porém, provinha de Arthur, que era provocador e se aprazia em atingir o irmão com ofensas sempre que possível. Alexis como que o temia e jamais o provocava, limitando-se a defender-se quando as admoestações ultrapassavam os limites das conveniências. Frequentemente, Andrea reconciliava-os, sem, contudo, conseguir extinguir a animosidade que parecia infelicitar a vida dos gêmeos. Ambos amavam a prima e sentiam ciúmes dela, esforçando-se sempre por ultrapassar as gentilezas do outro para com ela.

Antes do anúncio oficial do noivado de Alexis, porém, nem ele nem Arthur haviam percebido que o sentimento que animava seus corações era o amor passional, esse sentimento que não raro altera e até infelicita a existência de uma criatura, quando o equilíbrio da razão não o orienta. Depois daquela noite de Natal, porém, em que o senhor de Guzman dava como oficializado o noivado de sua filha com Alexis, este e seu irmão compreenderam que o que sentiam por Andrea era o verdadeiro amor do homem pela mulher e se transfiguraram. Alexis passou a examinar melhor os encantos femininos de sua prima e seus pensamentos se povoaram de sonhos, misturando-se às aspirações religiosas. Arthur passou a ter insônias e interrogava a si mesmo, a cada dia:

— Por que escolheram Alexis para casar-se com Andrea, e não a mim? Como deliberaram esse noivado sem ouvirem a qual de nós dois ela ama? Tenho razões para supor que é a mim que ela ama... E quando advêm suas crises de histeria não é a mim que ela acata, e se aquieta presa à minha mão? Afirmam nossos parentes que dentre nós, os gêmeos, sou eu o mais velho, pois nasci em último lugar, o que indicaria que fui gerado por meus pais primeiro do que o meu gêmeo. Se assim é, por que me preteriram no casamento, se sou mais velho do que o meu irmão? Porventura as crises que costumo sofrer impedem-me de constituir família? Não poderei, então, casar-me?

E perdia-se em interrogações e deduções ingratas que, por si mesmas, constituíam uma tortura moral indescritível.

Entrementes, comprometendo-se com o obsessor da irmã a tentar, no prazo exíguo de dois anos, a reeducação moral e mental da mesma, a fim de habilitá-la a uma defesa contra as trevas espirituais que a perseguiam, Victor de Guzman pôs mãos à obra logo nos primeiros dias após a noite de Natal, durante a qual presenciara Andrea debater-se contra o seu inimigo invisível. Como prosélito das doutrinas espiritualistas e médico que era, principiou por escolher alimentação conveniente à enferma: hortaliças, legumes, frutas, leite, ovos, chá. Em seguida, ginásticas respiratórias e demais exercícios apropriados à elasticidade e bem-estar fisiológico, como a circulação do sangue, o funcionamento renal, intestinal etc. Exercícios de higiene mental: educação do pensamento, repressão aos desejos menos discretos, renovação dos hábitos diários, se estes não condissessem com a Harmonia Divina, projeção das ideias no sentido do bem e do sublime, à procura do Ser Divino e da sua essência dentro de si mesma, e leituras moralizadoras e recreativas que a instruíssem para a vida prática, e o estudo sobre a Natureza, para que ela se sentisse agradavelmente unida à Criação Divina que cerca o homem no belo planeta em que vive e não continuasse a profaná-lo com a sequência dos próprios erros, que necessariamente quebrariam a harmoniosa teia que poderia ser a sua vida. Tratava-se de um curso rápido de introdução à doutrina espiritualista, então aceita por numerosos filósofos orientais e mesmo ocidentais, tentando salvar a irmã de si mesma e, logicamente, da inferioridade moral que lhe escancarava as portas para a ação obsessora.

Não era, porém, de boa mente que Andrea se submetia a esses rigorosos métodos, pois a própria música e a análise e a declamação dos grandes poemas, então muito em voga, eram incluídas na terapia a que o médico ocultista desejava submetê-la.

Mas Victor era também cristão, além de ser adepto das doutrinas orientalistas. À noite, convidava seus familiares, que o respeitavam com uma quase obediência, convidava os visitantes ou os hóspedes do dia e também a criadagem, e a todos reunia a ele e a Andrea no salão nobre do Palácio. Seus pais, orgulhosos, preconceituosos, zelosos de uma casta ilustre, que vinha do século XIII, sentiam-se humilhados vendo a família assim unida a vilões, como consideravam os serviçais. Todavia, desencorajados de protestar, curvavam-se às ideias do filho, certos de que a Revolução transformara visivelmente a sociedade francesa...

Uma vez todos reunidos, Victor principiava por delicadamente exigir que a irmã executasse ao piano uma ou mais peças musicais de Mozart,[20] de Bach[21] ou outro autor de renome na época. Fazia com que todos se sentassem convenientemente, em círculo, para ouvi-lo, após terem ouvido o concerto. Postava-se, de pé, no centro do salão, como em anfiteatro, e, porque fosse orador de grande mérito didático, entrava a expor a doutrina cristã e a personalidade admirável de Jesus Cristo.

Falava-lhes dos Apóstolos do Senhor, de suas tremendas responsabilidades diante de Deus e dos homens, de suas lutas e sofrimentos pela difusão da Boa-Nova do Cristo, de seus deveres e sua devoção aos princípios do evangelho. Falava-lhes dos mártires que, por amor à nova fé ensinada pelo Filho de Deus, tudo suportaram de boa mente e cheios de esperanças, recordando, para exemplo aos ouvintes, o grande amor e a grande esperança que todos eles tiveram na vitória do Reino de Deus, na proteção do Cristo e na ressurreição da alma e sua imortalidade após a morte do corpo. Toda a epopeia sublime do Cristianismo desenrolava-se, então, em presença dos ouvintes pela palavra ardente de Victor, que viajara pela Palestina e se sentia como que impregnado daquelas cenas vividas pelos seguidores de Jesus. E explicava-lhes ainda o código de leis morais existente no Sermão da Montanha, nas prédicas do Senhor à beira dos lagos ou a sós com seus amigos e discípulos. Dava-lhes o Evangelho redentor raciocinado, meditado, detalhado. E até as primeiras horas da madrugada entretinha-os com a sua palavra bela e sábia.

De outras vezes, Victor apresentava como temas para suas belas preleções o raciocínio sobre a existência da alma e seus poderes, sua imortalidade, sua marcha para o progresso e o bem até Deus, através das sucessivas migrações, ou reencarnações; a comunicação com a alma dos mortos, o

---

[20] N.E.: Wolfgang Amadeus Mozart (1756–1791), compositor austríaco.
[21] N.E.: Johann Sebastian Bach (1685–1750), compositor alemão.

poder da oração, enfim, mil ensinamentos redentores de que o homem não pode prescindir para a sua evolução geral e conquista da paz do coração. Visitava os pobres e os enfermos das aldeias próximas, tratava gratuitamente de suas enfermidades e minorava suas aflições; ministrava-lhes os ensinamentos evangélicos, lecionava alfabetização às crianças das cercanias, era, por assim dizer, um apóstolo do bem, um servidor do Cristo, tal como o fora em suas duas anteriores existências, quando devotadamente servira a Deus, amando o próximo. E, por toda parte aonde ia, fazia Andrea acompanhá-lo, ensinando-lhe o caminho a seguir, e associava-a a todos os movimentos tentados em favor do próximo, ao passo que Alexis o seguia, voluntariamente, comovido e encantado, considerando-o mestre, e Arthur se mantinha pouco menos que indiferente.

Oh! Ele era bem a reencarnação daquele generoso Carlos Filipe de La-Chapelle, que dera a vida por amor ao evangelho no século XVI.[22]

Infelizmente, porém, se muitos daqueles servidores e visitantes presentes e Alexis, encantados, sorviam com avidez as palavras iluminadas do ilustre orador e seus exemplos de cristão, assinalando-os na mente e também no coração; para tristeza do próprio Victor, Andrea não só deixava de se interessar pelas palavras do irmão como até adormecia profundamente, enquanto ele discursava. Mas o moço orientalista era perseverante e dedicado e novamente, em dias e horas aprazados, voltava à sua prédica de instrução moral à família e aos amigos. Por sua vez, o conde e a condessa de Guzman, se consideravam belas as dissertações do filho — orgulhando-se do seu saber —, longe estavam de compreendê-lo e assimilar a grande doutrina de redenção que o Céu lhes enviara por ele. Continuavam acastelados no seu grande orgulho, enquanto o coração se esquivava à aceitação do que ouviam.

Um pensador, um psicólogo, um espiritualista reencarnacionista reconheceria em Victor a ressurreição, na carne, de um antigo instrutor de

---

[22] N.E.: Alusão a episódios descritos no romance *Nas voragens do pecado*, do mesmo autor espiritual.

coletividades, um mentor de almas em aprendizado na Terra, um pastor da Reforma, um sacerdote da Igreja de Roma...

Sim, ele fora tudo isso em antigas etapas da sua vida de Espírito em trânsito entre o mundo astral e a Terra, e agora era o filósofo de uma grande doutrina, então ainda não devidamente difundida entre os homens: a doutrina da imortalidade, revelada do Céu à Terra pelas almas boas, mensageiras de Deus.

4

O SUICIDA REENCARNADO

Quanto aos suicidas, a perturbação em que a morte os imerge é profunda, penosa, dolorosa. A angústia os agrilhoa e segue até a sua reencarnação ulterior. O seu gesto criminoso causa ao corpo fluídico um abalo violento e prolongado que se transmitirá ao organismo carnal pelo renascimento. A maior parte deles volta enferma à Terra. Estando no suicida em toda a sua força, a vida, o ato brutal que a despedaça produzirá longas repercussões no seu estado vibratório e determinará afecções nervosas nas suas futuras vidas terrestres.[23]

O Natal já ia longe e agora era apenas uma recordação a mais, agradável e muito grata, no coração daqueles que, nesse dia sugestivo, se haviam reunido em família depois de quinze anos de incertezas e angústias. Tudo corria normalmente em Saint-Omer, a bela residência dos de Guzman d'Albret. Andrea nunca mais sofrera as terríveis crises que a mortificavam. Seu noivado com Alexis transcorria docemente, por entre juras de amor e sonhos de felicidade. Suas relações de amizade com Arthur decorriam não menos bem, e um estranho que de longe observasse os três jovens não compreenderia qual dos dois mancebos

---
[23] DENIS, Léon. *O problema do ser, do destino e da dor*. Primeira parte, cap. 10

seria o venturoso prometido de Andrea, pois ela parecia abranger a ambos num só raio do seu afeto. Por sua vez, ela se alindara visivelmente. Tornara-se mais forte, mais viva, mais mulher, para gáudio do irmão, que a via ressurgir fisicamente das antigas indisposições que a atormentavam. Se, porém, eram notórios os progressos fisiológicos da jovem prometida, os morais eram bem menores, quase nulos, mesmo.

Andrea aceitava os importantes ensinamentos do irmão como aceitaria as lições de um curso escolar qualquer, por dever e condescendência para com a necessidade da circunstância que vivia, sem calor, sem fé, sem entusiasmo. As horas das preleções, para ela, eram enfadonhas, momentos fatigantes, que nem a satisfaziam nem a emocionavam. Não raro queixava-se mesmo da falta de distrações, da escassez de divertimentos em Saint-Omer e em Vannes. Confessava ao irmão e aos pais, agastada, não sem justas razões, que desejaria viver um pouco no mundo, pois ainda não o fizera, conhecer grandes cidades, assistir a bailes, a teatros, visitar outras terras e adotar outros costumes que a aliviassem da eterna monotonia da vida que vivia. E ela estava, certamente, com a razão. A distração é uma higiene mental e traz benefícios, quando bem escolhida e equilibrada. As almas frágeis não se bastam a si mesmas e necessitam do estímulo social para se equilibrarem num termo de vida menos solitário e penoso. Contudo, a França acabava de sair de um amontoado de dramas e os franceses, aristocratas ou não, cuidavam de reequilibrar a vida e as próprias finanças arruinadas pela Revolução, atentos à sua lavoura e rendimentos antes de escolherem o gênero de distrações mais convenientes, numa sociedade que se erguia entre desconfianças e não isenta de temores. Ninguém, pois, nem mesmo Victor, cuidou de favorecer à impressionável menina o refrigério de algumas semanas de distrações em locais diferentes do seu marasmo cotidiano, afastando-a das apreensões que a assediavam. De outro modo, os senhores de Guzman tendiam para o gênero de vida patriarcal e não abriam mão dos hábitos conservadores para satisfazerem a filha. Por sua vez, Victor acreditava que a vida mundana seria funesta ao restabelecimento psíquico de sua irmã, a qual, para libertar-se do obsessor que a espreitava, deveria antes voltar-se para Deus, renovar a mente e o coração para um sentido bom, escudar-se na fé e no conhecimento da ciência espiritual, a fim de se impor aos adversários e vencê-los pelo amor e a prática do bem, e não seria, certamente, por entre festas e bailes, teatros e galanteios que ela poderia adquirir tão significativos valores morais e espirituais.

A vida, pois, decorria normalmente no Palácio de Saint-Omer. Alexis d'Evreux preparava-se para buscar Paris, pois os primeiros deveres da diplomacia o chamavam. Arthur arrumava as malas para dirigir-se a Toulon. Victor aplicava-se no labor da Medicina, no tratamento da irmã e da educação moral dos próprios familiares, dos serviçais de sua casa e dos colonos de seu pai e da vizinhança. Era um professor de letras e um mestre de moral. Quanto à condessa Françoise Marie e suas serviçais, punham mãos nos preparativos do enxoval de Andrea. A mãe tinha pressa em casar a filha que tanto a importunava.

Essa era a situação no Palácio de Saint-Omer, quando um fato decisivo para a família teve lugar.

Arthur d'Evreux, não obstante suas estranhas crises nervosas, que muitos da própria família sussurravam tratar-se de ataques epilépticos, insistia em querer tentar a carreira militar. Pleno de entusiasmo, sonhava ser herdeiro da gloriosa tradição militar da família, que tantos soldados dera à pátria, servir o Imperador, obter a patente de capitão, possuir a sua companhia de cavaleiros, exercitá-los, discipliná-los a seu modo, para que se pudesse orgulhar deles à frente de todo o exército da França. Para isso, pensava e dizia:

— Preciso exercitar-me para vencer essa morbidez que me faz desfalecer quando me arrojo a alturas ou me emociono. Se tal fraqueza persistir, como poderei enfrentar as provas que me esperam em Toulon? Serei, porventura, inválido?

E prosseguia em exercícios, ginásticas, corridas individuais ou a cavalo, esgrima, tiro ao alvo e até saltos. Para isso, contratara mestres vindos de Paris, antigos militares cheios de glórias e experiências, os quais, a peso de bons salários e hospedagem, forneciam-lhe instruções para as provas que dele exigiriam. Malgrado tanto entusiasmo, esses exercícios frequentemente o prostravam com terríveis convulsões e ataques nervosos, que o levavam ao leito durante dois ou mais dias.

O caráter de Arthur era bem o caráter do oficial militar, de um comandante de tropas. No entanto, era em vão que se esforçava: não possuía, em verdade, possibilidade física para a vida militar.

Não obstante, desde o evento do noivado da prima com o seu gêmeo, Arthur parecia não ser o mesmo homem. Retraía-se de todos, prolongava os exercícios a que se dedicava, durante mais horas do que devia, sabendo embora que as convulsões seriam o arremate do excesso, ou postava-se sobre os penedos da beira-mar, contemplando as águas que se esboroavam de encontro às pedras. Mostrava-se triste e pensativo, mais do que nunca evitava conversações com o irmão e torturava a mente com a deprimente interrogação:

— Por que me negaram Andrea, sabendo que eu a amo tanto? Porventura rejeitam-me devido às crises que sofro? Mas, se não for um militar, poderei ser um castelão; possuo fortuna bastante para isso... Que importância têm essas convulsões? Porventura Andrea não as sofre também? E Alexis amá-la-á realmente? E ela... amará Alexis? Pois não é a mim, então, que Andrea ama? Quantas vezes ela me há confessado o seu amor e quantas vezes tem aceitado os meus beijos, acolhendo os meus protestos?...

Tais pensamentos enervavam-no, deprimiam-no, afastavam-no cada dia mais do irmão, e ele se irritava com a impossibilidade de resolver a situação com a rapidez que desejaria. E rematava as próprias conjeturas com esta esperança, que tinha o dom de acalmá-lo:

— Bem... Tenho três anos de espera para agir... Alexis seguirá a diplomacia e estará ausente de casa, constantemente... Apertarei o cerco em torno de Andrea... Farei o meu curso de cavalaria, vencerei, e Andrea será minha, hei de consegui-lo, ainda que me seja necessário romper com toda a família e raptá-la.

Entrementes, Victor, observando as atitudes da irmã para com os primos, preocupou-se desagradavelmente e interrogou-a, forçando-a a uma confissão decisiva:

— Afinal, minha querida Andrea, qual dos dois amas: Alexis, teu prometido diante de toda a família, ou Arthur, que parece adorar-te e a quem favoreces com um carinho inequívoco? Que significa o que observo a respeito de ti e de Arthur?

A jovem relutou, esquivando-se às instâncias do irmão. Mas este insistiu e ela declarou, em lágrimas:

— Sou muito infeliz, meu caro Victor! Não somente a perseguição do meu inimigo invisível tortura os meus dias, mas também as indecisões do meu próprio coração. Amo Alexis profundamente, e sei que não poderei viver sem ele, mas amo também Arthur, embora, às vezes, sinta um certo temor dele e uma instintiva repulsa, logo dominada pelo coração. Em ambos é que tenho encontrado amparo e consolo para o meu isolamento... Entre um e outro, eu não poderia escolher qual seria o meu marido; foi preciso que escolhessem para mim. E por isso aceito Alexis. Mas como?!... Como viver sem Arthur, uma vez casando-me com Alexis? Sinto por meu noivo um sentimento capaz de todos os sacrifícios, uma admiração infinita, mas também sinto por Arthur um amor piedoso, uma atração irresistível, que não poderá ser esquecida... Perguntas o que significa tudo isso? Mas eu não sei, Victor, apenas reconheço, desgostosa, o que vai pelo meu coração...

O médico ocultista não respondeu. Quedou-se pensativo, certo de que a irmã querida se envolvera em terrível enredo de antigas encarnações, enredo que — ele o reconhecia — dificilmente a vontade do homem poderia remediar.

Assim se desenrolava a vida em Saint-Omer, quando, uma tarde, poucos dias antes da data fixada para a partida dos gêmeos, e quando o frio ainda soprava fortemente, Arthur resolvera provar a própria capacidade de enfrentar a altura, a ver se se corrigira da fraqueza insólita que o confinava numa situação ridícula, senão dramática. Havia já algum tempo que suas terríveis crises, a que chamavam epilépticas, não se repetiam. Esperançado, resolveu provar a si mesmo a própria cura, certo de que os exercícios continuados e o tratamento sem tréguas já haviam demonstrado o restabelecimento da própria saúde.

Encontrava-se parte da família, isto é, os três jovens e mais Victor, em amistosa palestra numa sala do segundo andar, cujas portas envidraçadas deitavam para um terraço nobre, rodeado de balcões artísticos, como o eram os das edificações senhoriais dos séculos XVII e XVIII. Junto, bem junto a essa parte do edifício, e deitando galhadas rentes ao alpendre, existia um soberbo carvalheiro, cujos braços, meio despidos ainda pelo fim do inverno, seriam capazes de oferecer apoio seguro a quem temerariamente desejasse passar do alpendre para o arvoredo. Sentado junto à janela, em dado momento Arthur vê o gato de estimação da família sobre o galho do carvalheiro, indeciso se saltaria para o alpendre ou se atingiria os galhos mais baixos, até tocar o chão. Não se contendo, e a preferir esperar que o animalzinho resolvesse a própria situação, pois a resolveria perfeitamente, Arthur decidiu auxiliá-lo e pensou:

— Será excelente ocasião para a mim mesmo provar que estou curado do meu mal de nervos...

Distraídos no ardor da palestra, seus primos e seu irmão não prestaram a devida atenção a que ele se levantara, abrira as portas envidraçadas e se dispusera a auxiliar o gato.

A prudência mandaria que Arthur se munisse de uma bengala, um bastão qualquer, e do balcão do alpendre o estendesse até o galho que se elevava acima deste, oferecendo ao animal um apoio para passar. Mas não foi assim que o futuro militar agiu. Subiu ao balcão, equilibrando-se de pé. O galho mais próximo balouçava-se, impelido pelo vento, e fugiu-lhe das mãos quando o moço pretendeu agarrá-lo, a fim de apoiar-se e agarrar o bichano. Fez, então, uma segunda investida. Porém, casualmente, seus olhos se desviaram do galho que tencionava agarrar e resvalaram para baixo, onde se erguia outro balcão de mármore semelhante ao primeiro e, embaixo, degraus e calçamentos de pedras. Sua vista turvou-se, ele tonteou e seu corpo vacilou, suspenso no balcão. Num momento supremo, soltando um grito lancinante, como de alarme e terror inexprimível, ele ainda tentou agarrar-se ao galho e apoiar-se nele. Todavia, o vento soprava e arrebatou-lhe o frágil auxílio, que apenas resvalou por suas mãos. Então, Arthur despenhou-se do alto, vindo cair sobre os balcões e as pedras do chão, onde ficou inanimado. Dessa vez, no entanto, não houve a crise costumeira, as convulsões, os estertores pavorosos das anteriores ocasiões. Houve apenas o silêncio, como que traduzindo a morte, sangue, desmaio profundo, ossos fraturados e o desespero da família, que não sabia como agir. Foi ainda Victor quem tomou a iniciativa em hora tão dramática. Usando da energia de que era dotado, afastou os familiares do local do acidente, improvisou um leito, auxiliado por alguns criados, e cuidadosamente retirou o primo de sobre as pedras. Puseram-no em um aposento do primeiro andar. Victor examinou o acidentado minuciosamente: Arthur vivia. Estava, porém, sem sentidos, em estado desesperador, vencido por violento traumatismo. Prontamente, expediu portadores a Vannes, requerendo a presença de médicos, pois, sendo também médico, não quis assumir sozinho a responsabilidade do tratamento, que seria melindroso; feito o que, reuniu a família e declarou:

— Devo ser-vos franco. É bom não guardardes esperanças de cura. Arthur somente ainda não morreu porque milagrosamente não feriu o crânio. Mas fraturou a coluna espinhal. Se não morrer, ficará aleijado para sempre. A Medicina pouco poderá fazer. Somente a natureza dele próprio poderá ajudá-lo, além dos favores divinos.

5

O ALEIJADO

Todas as nossas ações estão submetidas às Leis de Deus. Nenhuma há, por mais insignificante que nos pareça, que não possa ser uma violação daquelas leis. Se sofremos as consequências dessa violação, só nos devemos queixar de nós mesmos, que desse modo nos fazemos os causadores da nossa felicidade, ou da nossa infelicidade futuras.[24]

E Andrea?

Após o desastre, tal como os demais membros da família, Andrea descera em correrias desesperadas as escadarias que levavam ao parque, até o local onde, semimorto, o jovem caíra. Impressionável e nervosa, a noiva de Alexis desmaiara ao ver o estado do primo tão querido, caindo inanimada entre as folhagens de um canteiro. Aflitas, e no afã de socorrerem o acidentado, a quem julgavam ver morrer a cada instante, as pessoas presentes não prestaram atenção na enfermiça menina e nem mesmo perceberam o que lhe acontecera. Mas quando já todos se haviam retirado para o interior do Palácio e se movimentavam na ação de socorro a Arthur, um homem aproximou-se dela, ajoelhou-se sobre a terra, tomou-lhe da

---
[24] KARDEC, Allan. *O livro dos espíritos*, II, it. 964.

mão, que sentiu gelada e, retirando do bolso um lenço alvo, enxugou-lhe o rosto, pois começara a chover e a jovem tinha o rosto molhado pela chuva. Depois, levou a destra sobre o coração da mesma, auscultando-o. Vendo que a menina de Guzman respirava, embora fracamente, sua fisionomia desanuviou-se. Ele levantou-a, então, nos braços, como se fora uma pluma. Comprimiu-a docemente de encontro ao coração, fitando-lhe o rosto pálido e abatido, com dolorosa ternura. Seus olhos, à luz indecisa do crepúsculo, se umedeceram de uma emoção profunda. Em seguida, dilatando o coração num suspiro longo, entrefechou as pálpebras e, comprimindo mais ainda o corpo de Andrea contra o coração, depôs em sua boca gelada um beijo quente e apaixonado.

Esse homem era um jovem de 20 anos e chamava-se Jacques Blondet. Exercia as modestas funções de guarda das matas e parques de propriedade dos condes de Guzman d'Albret. Era valente, sincero e honrado, mas sombrio e retraído e certamente triste, inconformado com sua modesta posição social.

Jacques Blondet levou aquele corpo amado até os aposentos competentes, nos quais pudesse penetrar, e entregou-o à criada de quarto da jovem, Matilde. Mas levara-o com o cuidado e a devoção com que levaria um ídolo, para depositá-lo no relicário.

Jacques amava Andrea, sabia que seu amor era ignorado e impossível, e sofria por isso. Frequentemente, ele a seguia durante os passeios noturnos que a menina fazia pela solidão do parque, e não raro também por ela velava quando a via adormecer sobre um banco ou estender-se na relva de algum canteiro, durante suas noites de excitação obsessiva, que a arrastava a tais excessos. E muitas vezes Jacques pensava, confabulando consigo próprio, enquanto vigiava seus passos pelo parque, temeroso de que algo de anormal lhe sucedesse:

— Por que a amo, meu Deus, se meu amor somente angústias e decepções promete? Que culpa tenho eu de tê-la amado desde o primeiro dia em que a vi, sozinha e infeliz, vagando por este parque imenso? Sei que jamais serei amado, que ela nem mesmo ainda reparou em mim. Que será de mim? Como fazer para esquecê-la?

Entretanto, Arthur continuava desacordado e, apesar da solicitude da família e dos cuidados dos médicos que, tão rapidamente quanto possível, haviam atendido ao chamamento de Victor, não recuperava os sentidos. Durante oito dias assim permanecera, inanimado, sem, contudo, expirar. Os médicos haviam confirmado o diagnóstico de Victor, isto é, Arthur fraturara a coluna vertebral e, caso resistisse aos sofrimentos, não mais poderia caminhar. Ao expirar dos oito dias, porém, o jovem começou a apresentar os primeiros sintomas de ressurgimento para a vida. Balbuciou algumas palavras, chamou pelos pais, falecidos desde muito, pediu-lhes que o beijassem e que orassem a Deus, com ele, agradecendo o não ter sucumbido na queda desastrosa. Aceitou alimentos e ingeriu drogas medicamentosas prescritas pelos médicos. Queixou-se de dores atrozes nas regiões lombares, no peito, nos quadris, e declarou que sua visão se tornara deficiente. E chorava copiosamente, enquanto Victor orava fervorosamente, à beira do seu leito, com as mãos estendidas para ele, e a família reunida chorava e orava com o doente.

A convalescença foi longa e penosa. No entanto, com surpresa, toda a família e ainda Alexis perceberam que grande transformação se operara no coração do pobre moço durante aqueles angustiosos dias em que permanecera semimorto. Em vez de desespero, viam nele chocante passividade ao destino. Em vez de blasfêmias, resignação singular, mesmo incompatível com o caráter que conheciam. Declarara aos seus que sabia que se inutilizara para sempre, que jamais voltaria a caminhar, que seus sonhos de glórias militares se haviam desfeito, e que seu desejo, agora, seria instruir-se tal como seu primo Victor de Guzman d'Albret e voltar-se para o amor de Deus e do próximo. Tais confissões, porém, mais enterneciam a família, a qual se reconhecia inconsolável com os acontecimentos. Seu irmão Alexis, sua prima Andrea, seus tios e demais parentes, que acorreram para junto dele, e até a criadagem do Palácio, rodearam-no de ternura e o não deixavam jamais a sós.

E Andrea dizia-lhe a cada instante:

— Consagrarei minha vida a ti, meu caro Arthur! Serei a tua enfermeira, a tua segunda mãe, que velará até pelos sorrisos dos teus lábios. Nós não te abandonaremos jamais neste Palácio imenso. Seguirás comigo e Alexis para onde formos...

E beijava-o ternamente, esquecida de que era prometida do irmão desse a quem assim tratava, beijava-o até que o visse sorrir consolado e feliz.

Finalmente, Arthur restabeleceu-se e pôde deixar o leito para dar o seu primeiro passeio depois do acidente. Fê-lo, porém, em uma cadeira de rodas, tocada por Victor e seu irmão Alexis, ao passo que Andrea caminhava ao lado, a mão presa à sua mão.

Um dia, vendo-o já refeito também psicologicamente, Victor, que até ali se contivera e nada indagara das impressões do infeliz primo, não mais pôde conter-se e resolveu manter conversação confidencial com o mesmo. Para isso, convidou-o a um passeio solitário pelo parque, desacompanhado de quem quer que fosse, e, à certa altura da conversação, exclamou:

— Narra-me, caro Arthur, o que te sucedeu durante o desmaio... Sei que fatos insólitos se passaram contigo durante aqueles dias... Conta-mos, pois não ignoro o fenômeno ocorrido contigo. Dize ainda a tua impressão no instante da queda...

Arthur sorriu tristemente e falou:

— Sim, meu caro Victor, sei que fatos importantes se sucederam durante o meu desmaio, e, apesar de me encontrar desmaiado, guardo

O drama da Bretanha

lembrança de grande parte do que me foi sucedido, ao passo que nada posso lembrar do que ao redor de mim se passou, em nossa casa. Durante esse estranho período, em que tive uma vida extraterrena, minha alma renovou-se e posso até dizer que me sinto como que outra personalidade, nasci novamente, sinto-me diversamente do que era. No entanto, não é com exatidão que me posso recordar do que se passou, pois a sombra de um véu enigmático parece toldar parte das minhas lembranças quando mais me esforço por tudo esclarecer a mim próprio.

Arthur fez uma pausa e continuou comovidamente, enquanto o primo aguardou, sem nada dizer:

— Quando, naquela tarde, dispus-me a galgar o parapeito do balcão, que é largo e muito cômodo, para salvar o nosso gato de estimação, eu me sentia perfeitamente bem. Ao estender o braço, porém, a fim de segurar o galho do carvalheiro e firmá-lo, para reaver o bichano, tive a infelicidade de olhar para baixo. Então vacilei, como sempre... Senti, dessa vez, uma faixa negra tenebrosa envolver-me a visão e tomar-me todo o ser... Como por encanto, surgiram ao meu pensamento todos os fatos de minha vida, de diante para trás, isto é, do presente em direção ao passado... Perdi, depois, a noção de mim mesmo, Victor, para em seguida sentir dentro de mim outra personalidade, a qual, sendo eu mesmo, não era, no entanto, Arthur de Guzman d'Evreux. Mas tudo foi tão rápido, tão fugaz e, ao mesmo tempo, tão real e circunstanciado como se eu vivesse tais momentos durante séculos... Vi-me singularmente trajado com vestes do campo e senti-me no alto de uma montanha abrupta, onde pedras se sobrepunham como se se tratasse antes de uma pedreira. Eu me precipitei por essa montanha abaixo, atirando-me no vácuo, procurando a morte. Sentia-me rolar sobre pedras indefinidamente, enquanto pensamentos e recordações angustiosos me torturavam o coração. Dores lancinantes me acometeram o corpo. Sentia que minhas carnes se rasgavam, que meus ossos se quebravam, que minha vida se aniquilava. Andrea dominava meus pensamentos e um desespero indescritível enlouquecia-me, pois eu sentia que ela era minha, que a amava loucamente, mas que fora repudiado por ela, e a perdera para sempre... até que em dado momento reconheci-me no fundo de um vale pedregoso, irremediavelmente ferido, as vestes despedaçadas, as carnes rasgadas, coberto de sangue, irreconhecível, ao passo que pessoas me rodeavam, banhadas em pranto, inconsoláveis pela minha morte. Tudo isso, porém, na rápida queda que me atirou sobre o banco de pedra do jardim. Não sei quanto tempo me abati em completa inconsciência. Sei apenas que, como em pesadelo, ouvi gargalhadas e vozerios a zombarem de mim, insultando-me por entre mil ofensas graves, e a dizerem:

— Esqueceste, porventura, da matança de São Bartolomeu, na qual tomaste parte?[25] Ainda ressoam aos nossos ouvidos a grita infernal daqueles mártires que tu e teus sequazes trucidaram, miserável! Ainda despedaça os nossos corações o choro de nossas crianças, sacrificadas por algozes que não respeitaram nelas nem a inocência nem a angelitude. Sabe que, pelos crimes que então praticaste, bem pouco é o que hoje sofres sob nossa vingança. E aqueles anciãos respeitáveis, assassinados pela tua sanha religiosa, sem uma única reação de defesa? Por que te angustias e choras agora? Que mais poderias esperar do destino senão dores e lutas, se ultrajaste o evangelho com o teu ódio religioso?

"Não sei, Victor, quanto tempo assim permaneci, padecendo este martirizante e aniquilador pesadelo.[26] Eu estava tolhido, sem poder falar, sem me poder defender, sem poder reagir. Mas, de um momento para outro, a cena, ou as minhas impressões se modificaram: vi-me deitado em leito alvo, lucilante, em local que não pude precisar. Rodeavam-me vultos amigos, nos quais eu reconhecia pais, irmãos queridos que me consolavam. E diziam:

"— Será para o teu próprio benefício, alma querida! Não se trata de um castigo que te é imposto, mas de um fato irremediável, consequente

---

[25] N.E.: Episódios descritos na obra *Nas voragens do pecado*.
[26] N.E.: Fenômeno de regressão da memória, provocado pela emoção do acidente e atingindo uma existência anterior.

O drama da Bretanha

do teu passado espiritual e do teu rebelde ato de suicídio... O suicídio é um crime, Arthur, que persegue aquele que o pratica, às vezes, durante séculos! Levaste, portanto, de retorno à vida carnal os choques vibratórios criados pela violência do teu gesto, despenhando-te da montanha para morrer, num chocante desrespeito a Deus. Esses choques te perseguirão como a própria sombra do teu erro. E agora, ao despertar, estarás inválido para sempre, em tua presente existência planetária. Mas não te desesperes: esse é o resultado da tua própria ação de suicida. Agradece antes a Deus o sobreviveres ao desastre. Tua vida, agora, há de modificar-se, para o teu próprio bem. Precisas reeducar-te moralmente e nada como a dor para renovar o caráter do indivíduo e reconciliá-lo com Deus e com a própria consciência. É preciso, meu filho, que te voltes para Deus, a quem ainda desconheces. É preciso que ames o próximo, o qual sempre te foi desconhecido. E tudo isso será o preparo da tua futura redenção, mas não um castigo... Tem, pois, paciência contigo mesmo. Nada adiantará te revoltares, senão para fazer-te sofrer ainda mais. Serás, no entanto, amparado pelos que do Céu te amam e recompensas futuras consolarão a tua alma. Volta-te, pois, para Deus, persevera por viveres antes a vida do espírito devotado ao bem, porque a presente existência tua será apenas de dores e expiações e necessitas de todo o teu valor a fim de suportares as vicissitudes que o destino ainda te apresentar."

Arthur estava banhado em lágrimas, e silenciou por alguns instantes. Depois do que rematou:

— Foi precisamente nesse momento, Victor, que tornei a me sentir Arthur de Guzman d'Evreux e comecei a readquirir a consciência de mim mesmo, pois, até então, desde o momento da queda, eu fui uma outra personalidade. Agora estou sereno e resignado e bastante forte para enfrentar o futuro nesta cadeira de rodas. Sei agora que existe um Deus, que temos vivido várias vidas neste mundo, conforme tens afirmado, e que se tudo isso me aconteceu é que em mim se processa uma justiça superior, que me engrandecerá. E conto contigo para me orientar no caminho certo, pois pressinto que minha existência será bem diferente daquela que meus sonhos delinearam para mim.

Victor ouvia o primo atentamente. Chorou com ele, confortou-o com a força da sua confiança nos Poderes Divinos, e rematou:

— Sim, não podemos duvidar de que viveste em épocas passadas, em que erraste contra a Lei de Deus, fazendo jus ao amargor do presente. Mas não te deixes desolar. A lei que permitiu o teu desastre, sem criá-lo, saberá também remediar a tua situação. O acidente que te deixa incapaz para a vida social que sonhaste não aniquilará a possibilidade de exerceres uma vida real toda consagrada a Deus e ao bem. Mesmo nesta cadeira de rodas poderás engrandecer-te e engrandecer o teu próximo, enquanto seguires o Cristo. Bastará que pratiques o bem que puderes e procures ter paciência e fé nos desígnios do Criador. Auxiliar-te-ei quanto puder e te encaminharei nas sendas da vida superior, ou seja, na vida orientada pelo conhecimento das coisas de Deus.

Nessa mesma noite, Victor, que já realizara serões em seu lar, com a família e a criadagem, instruindo-os no evangelho do Cristo de Deus, iniciou também o estudo da doutrina secreta que aprendera de mestres orientais, procurando preparar Arthur para o domínio das mesmas, que lhe abririam horizontes novos para o espírito. E passou a versá-lo, a par disso, no conhecimento de línguas estrangeiras.

Arthur tudo aprendia e aceitava docilmente.

6

MARCUS DE VILLIERS

VI. Não nos deixes entregues à tentação, mas livra-nos do mal.

[...] Em nós mesmos está a causa primária do mal e os maus Espíritos mais não fazem do que aproveitar os nossos pendores viciosos, em que nos entretêm para nos tentarem.

Cada imperfeição é uma porta aberta à influência deles, ao passo que são impotentes e renunciam a toda tentativa contra os seres perfeitos. É inútil tudo o que possamos fazer para afastá-los, se não lhes opusermos decidida e inabalável vontade de permanecer no bem e absoluta renunciação ao mal.[27]

Passaram-se alguns meses desde os acontecimentos que acabamos de descrever. A calma voltara ao Palácio de Saint-Omer, não obstante o profundo desgosto que o acidente que vitimara Arthur causara à família. Os velhos condes, seus tios, não se conformavam com o drama que tão brutalmente aniquilara aquele a quem amavam como a um filho querido. Um filho aleijado era o opróbrio, a humilhação para o seu orgulho de aristocratas, mormente quando esse filho prometia ser a

---

[27] KARDEC, Allan. *O evangelho segundo o espiritismo*, cap. 28, it. 3.

alegria da família, perpetuando a honra militar que desde tantos séculos a ilustrava, na pessoa dos seus antepassados consagrados às armas da pátria. Victor, porém, procurava a todos acomodar com apreciações sobre a determinação divina, que muitas vezes permite a dor em nossas vidas para elevar o Espírito ao bem, e a serenidade voltara a imperar no lar, senão no coração de cada um. Alexis encontrava-se em Paris, onde tratava de firmar bases para a carreira que desejava seguir e Andrea e sua mãe continuavam a pensar na confecção do enxoval para o seu próximo casamento. Mas estava assentado que essa família, devedora de erros de existências remotas, não desfrutaria paz por muito tempo.

* * *

Voltara a primavera e os dias eram mais tépidos e aprazíveis.

Uma tarde, achavam-se reunidos num dos terraços da bela mansão o conde Joseph Hugo François e sua família. A tarde caía, mas havia ainda muita luz. Chovera ligeiramente durante o dia e agora as folhas, ainda molhadas, luziam à fraca luz do sol, que declinava além. Um cheiro bom de selva regada e terra umedecida, de envolta com o perfume penetrante de mil espécies de flores, oferecia aos corações jovens um desejo de vida e de expansão dos próprios sonhos. No parque, os cisnes e os pavões deixavam perceber seu júbilo pelo encanto daquela tarde amena e, nos pombais, esvoaçando, contentes, os pombos se alvoroçavam na alacridade dos seus amores ou na valentia das suas turras... enquanto a passarada arisca, do alto de antigos arvoredos, presidia a tarde com a orquestração dos seus maviosos cânticos. E, bem perto, a duzentos passos da estrada nobre que conduzia ao parque, o oceano rugia, arremessando suas ondas de encontro aos arrecifes que bordavam as acidentadas margens.

De súbito, a placidez que envolvia os de Guzman foi interrompida pela bulha de uma cavalgada de fidalgos que passava pela estrada real, a qual se avizinhava dos muros do Palácio.

O drama da Bretanha

Numa aldeia pacata como Saint-Omer um acontecimento, por menor que seja, desperta as atenções dos habitantes, mesmo que se trate de fidalgos.

Levantaram-se, pois, os senhores de Guzman e se achegaram ao balcão do terraço, procurando por entre a folhagem da estrada distinguir a escolta que tanto alarido fazia.

— Oh! — exclamou, de repente, Victor, reconhecendo um dos cavaleiros que passavam. — É o nosso novo vizinho, senhor de Villiers de Saint-Patrice, que volta da excursão feita com amigos às matas de sua propriedade. Houve um piquenique magnífico e compareceram até mesmo amigos vindos de Paris propositadamente, para compartilhar dele e das demais recreações combinadas para a temporada primaveril, segundo se sabe. É a primeira festividade que o senhor de Villiers oferece depois que se fixou em seu Castelo de Saint-Patrice...

— Dizem que é riquíssimo — atalhou o conde Joseph Hugo —, é lhano e amável...

Nada mais acrescentaram, no entanto. Não obstante, sabiam que o fidalgo em questão, anfitrião de tantas figuras ilustres vindas de Paris, chamava-se Marcus de Villiers e era conde de Stainesbourg e de Saint-Patrice. Que descendia de raça flamenga e possuía um castelo na aldeia próxima, de Saint-Patrice, onde acabava de fixar residência a fim de repousar, porquanto se sentia muito fatigado das lutas e peripécias da vida; que suas terras eram imensas e seus haveres grandiosos; que era um gentil-homem apreciado por todos que tinham a honra de conhecê-lo, por suas maneiras afáveis e alegres e suas prodigalidades; que era culto, amigo das Artes e até da Literatura, e que até mesmo desenhava retratos de amigos, presenteando-os, em seguida, aos retratados; que, além de milionário, era portador de um bom gosto insuperável, pois oferecia aos amigos e correligionários festas e partidas encantadoras; que era solteiro e ainda jovem, visto que não atingira ainda os 35 anos; que voltara recentemente da América, onde se exilara ainda muito jovem, durante a Revolução, e onde enriquecera prodigiosamente e onde possuía, no Estado de Louisiana,[28] terras cultivadas e muito extensas, e que, no momento, empenhava-se em fazer relações de amizade com os fidalgos da região e os visitava sem cerimônias, apresentando-se, ele mesmo, apenas com um pedido de permissão.

Com efeito, assim era, porque já na tarde do dia seguinte, não obstante os hóspedes que Villiers abrigava em sua casa, o conde Joseph Hugo recebeu do ilustre vizinho uma carta, entregue por um emissário especial, na qual assim se expressava:

"Marcus de Villiers, conde de Stainesbourg e Saint-Patrice, tendo fixado residência em suas terras de Saint-Patrice, sente-se honrado em cumprimentar os senhores de Guzman e pedir vênia para visitá-los em dia e hora que estabelecerão."

Não havia como resistir a tão amável solicitação. Seria mesmo descortesia rejeitar uma amizade que se apresentava com tanta espontaneidade. Da moral do visitante, da honradez do seu caráter não se procurava inteirar. As credenciais exigidas a uma personagem, na época, como, talvez, em todas as épocas, eram precisamente aquelas que o senhor de Villiers deixava saltar aos olhos dos seus amigos: amabilidade, prodigalidade, fortuna. O fidalgo solicitante era um aristocrata, de antiga e conceituada família flamenga, riquíssimo, gentil. Isso bastava. Joseph Hugo, portanto, dirigiu-se à sua escrivaninha e respondeu à carta que acabara de receber, pois o emissário de Saint-Patrice esperava no saguão do palácio, por ordem do mordomo:

"Os condes de Guzman d'Albret e de Guzman d'Evreux sentir-se-ão honrados em receber o senhor conde de Villiers de Stainesbourg amanhã,

---

[28] N.E.: Região explorada, inicialmente, por espanhóis (séc. XVI); colonizada, depois, por franceses (sécs. XVII e XVIII). A Louisiana, após ter sido dividida entre a Inglaterra e a Espanha, à exceção de La Nouvelle-Orléans (New Orleans), em 1762, teve a sua parte Ocidental devolvida à França, que, em 1803, a vendeu toda aos EUA. Guindada a estado somente em 1812.

convidando-o para o seu jantar às oito horas da noite, e agradecem, penhorados, a preferência."

— Não sei por que, senhor conde, mas não sinto simpatias pelo conde de Villiers — aparteou Arthur, ao ver o tio entregar a carta ao criado, para levá-la ao emissário.

— Ele é tão alto e tão forte que me faz medo... Sinto medo dele... — interveio a impressionável Andrea.

— Como assim, tu o conheces? — perguntaram a um só tempo Victor e Arthur.

— Costumo vê-lo quando passa a cavalo todas as manhãs. O conde é muito amável, cumprimenta-me sempre... Eu soube que ele adquiriu a educação jovial da América, durante o exílio...

Os dois jovens estranharam as expressões de Andrea, mas nada responderam. Quanto à condessa Françoise Marie, não prestou atenção à conversa. Era uma alma arredia, a quem os terrores da Revolução, mesmo na Espanha, ensinaram a nada ouvir e a calar o máximo possível.

* * *

Comumente, se alguém é assediado ou mesmo obsidiado por um inimigo do Mundo Invisível, é possível libertar-se dele, seja por intervenção de outrem bastante digno de aconselhar e convencer o malfeitor a emendar-se da feia ação que pratica, seja pela intervenção dos Espíritos protetores do obsidiado, que ouviram os seus rogos e vieram em seu socorro, seja ainda pelo amparo dos próprios guias espirituais do algoz, que desejam a sua emenda e praticam a caridade aconselhando-o, ou simplesmente porque a lei do progresso muitas vezes impede que o obsessor permaneça no atraso do seu ódio. Todavia, a maioria desses obsessores, se bem que se retirem da faixa vibratória do seu desafeto, nem por isso o abandonam definitivamente. Permanecem em observação, vigiando suas ações diárias, seus sentimentos na vida cotidiana. Se o obsidiado emenda-se dos próprios defeitos, progredindo em moral, depurando os pensamentos, aperfeiçoando o coração para a prática do bem, o obsessor, sem forças de ação, porquanto o outro se afinou com a luz, acaba por deixá-lo completamente, indo ao ponto de respeitá-lo e envergonhar-se do que fez contra ele. Se, porém, não houve reforma alguma e o obsidiado permanece no indiferentismo, ou volta a mostrar as mesmas imperfeições que o afinaram com o seu perseguidor, este tornará a segui-lo e, então, o faz com redobrada violência, quando não se acompanha de comparsas que o ajudam a exercer a maléfica influência. Segue-se daí que a observação e a prática demonstram que, em grande número de casos, o obsidiado é o principal curador de si mesmo, e que, se ele próprio não exercer a vontade soberana de corrigir as próprias tendências más, a cura tornar-se-á difícil e mesmo impossível. Além do mais, comumente, ainda, a obsessão arrasta um complexo tormentoso, difícil de ser superado: é que ela é, frequentemente, a expiação de erros e crimes praticados em existências remotas, quando vítimas ou desafetos de outras épocas vingam ofensas graves então recebidas. E como o obsidiado envolveu-se nessa faixa criminosa, sem procurar dela afastar-se, renovando-se para o amor de Deus e o progresso de si mesmo, torna-se joguete do malefício próprio e alheio e tudo então pode acontecer, até mesmo o suicídio, suprema desgraça de um obsidiado, suprema desgraça para um obsessor, cuja responsabilidade é grave perante as Leis de Deus.

Mas o obsidiado que chega ao suicídio pela perseguição do seu obsessor sofre uma represália, não raramente: na maioria das vezes, foi causa voluntária do suicídio do próprio obsessor ou de alguém a este muito achegado por laços de amor ou de parentesco afim, o que leva a refletir que mais vale evitar uma obsessão, agindo sempre bem para com o nosso próximo, do que darmos asas às paixões, faltando com a fraternidade para com ele.

Entretanto, como nenhuma dor que fere um coração é perdida nos balanços do Código Divino, a amargura de um obsidiado, o seu suplício, o seu desespero, cuja compreensão está além da possibilidade humana penetrar, acaba por promover o seu progresso e ele, exausto de sofrer, procura Deus voluntariamente, reabilitando-se, então, com facilidade.

Essa a razão por que a Lei do Todo-Poderoso permite que haja sofrimentos no mundo e no Além. É, pois, uma lei, a inflexível lei de causa e efeito, que Jesus traduziu por esta admirável sentença: "A cada um será dado segundo as próprias obras."[29]

* * *

Marcus de Villiers foi pontual na sua visita do dia seguinte. Tratava-se, com efeito, de um cavalheiro fino de maneiras, culto, amável, um belo homem, cuja conversação atraente soube cativar seus anfitriões. Contava cerca de 35 anos e sua tez, um tanto crestada pelo sol da América, tornava-o porventura mais atraente e belo no conceito das damas. Bom pianista, tornou o serão da família de Guzman num encantador recreio, com as belas peças que executou; e, à mesa, soube converter o jantar num repasto talvez ainda mais agradável, ao narrar, a pedido de Victor e do conde, seu pai, suas viagens pela grande Confederação Americana, onde a vida pitoresca que levara caberia num volume.

Andrea confessava-se encantada, fascinada pela palavra e as maneiras do visitante. Cantou, durante o serão, acompanhada por ele ao piano, com agrado dos pais, que exultavam por vê-la alegre e desfrutando saúde.

Levando vida insípida, prisioneira daquele palácio imenso, divertiu-se imensamente nessa noite, pois Marcus convidou-a até mesmo para a dança, quando sua mãe tocava, e a formosa prometida de Alexis sentia sua mãozinha delicada afagada pelas mãos do conde, enquanto seus olhos se assustavam sob o olhar provocante do dançarino.

---

[29] N.E.: *Mateus*, 16:27.

Sentado em sua cadeira de rodas, Arthur não presenciava tais acontecimentos com bons olhos, emocionava-se desagradavelmente, percebendo que o senhor de Villiers cortejava visivelmente sua prima, pois, desde o jantar, notara que seus olhos a buscavam a cada momento e, na conversação, dirigia-se a ela com desenvoltura, o que não era de bom gosto na etiqueta francesa, visto que Andrea era apenas uma adolescente, mas que os donos da casa interpretavam como costume americano que o novo amigo adotara em suas viagens, sedento de renovação e liberdade como se revelava ser.

Entretanto, Arthur não se enganava, servido por uma intuição que valia por uma profecia, mal impressionado que ficara com as maneiras do conde para com a prometida de seu irmão. Marcus achava-se, com efeito, enamorado de Andrea desde muito antes, e aquela visita outra causa não tivera senão aproximar-se da menina e observar a possibilidade de cortejá-la definitivamente. Esse homem galante, mundano, aventureiro, que se conservava solteiro aos 35 anos, que se gabava de nunca se ter deixado prender pelo amor de uma mulher, um dia, cavalgando pela estrada nobre que conduzia ao Palácio de Guzman, viu Andrea passeando com sua mãe entre as árvores do parque. De outra vez, vira-a sentada sobre as pedras que orlavam as ribanceiras da beira-mar. Cumprimentou-a e tentou falar-lhe. A menina, porém, sorriu, mas não deu a permissão desejada e fugiu temerosa. Ao visitar a família, agora, Marcus de Villiers já dirigira a Andrea uma carta de amor, sem, contudo, assiná-la. Essa carta, entregue a Matilde, a criada de quarto da menina obsidiada, fora trazida a Saint-Omer por um seu amigo e namorado, serviçal de Marcus. Andrea aceitara e ocultara a missiva de todos de casa, deleitando-se com o inédito da aventura, cujas consequências não foi capaz de prever. Existia, portanto, um entendimento sigiloso entre ela e o novo vizinho, quando este deliberou visitar a família.

Não obstante, Marcus não ignorava que Andrea era prometida de um primo que residia em Paris. Dissera consigo mesmo, ao sentir-se enamorado da jovem:

— Não importa! Se a amo, far-me-ei amar por ela e estarei disposto até mesmo ao casamento...

Naquela noite, pois, ao regressar a casa, sentia-se inquieto, excitado, insofrido; pessoalmente, Andrea era mais encantadora, pela meiguice e singeleza que irradiava de si, do que a princípio supusera, e sua atração por ela recrudescera com aquela visita. E só pela madrugada conseguiu adormecer.

No século XVI, Marcus de Villiers vivera em Paris, mas era um simples cavaleiro a serviço de Henrique I de Guise,[30] Príncipe da Lorena, e chamava-se Reginaldo de Troulles;[31] no século XVII, vivera em Bruges; em existência seguinte, era fidalgo e chamara-se Ferdnand de Görs, antigo desafeto de Alexis e da própria Andrea, por quem fora também apaixonado. A suprema Lei determinara a reunião dos três nessa nova etapa terrena, visando à sua reconciliação e progresso espiritual. A menina de Guzman, porém, por aquela época, enredara-se em tramas assaz tumultuosas e dificilmente, agora, conseguiria libertar-se delas.

---

[30] N.E.: Henrique I, príncipe de Joinville, duque de Guise, é um dos beneficiários políticos do Massacre de São Bartolomeu, em 1572, chefe da "Liga Católica" (1576) durante as Guerras Religiosas na França.
[31] N.E.: Personagem também do romance *Nas voragens do pecado*.

7

COMPLICAÇÕES

Meus atuais defeitos são restos das imperfeições que conservei das minhas precedentes existências; são o meu pecado original, de que me posso libertar pela ação da minha vontade e com a ajuda dos Espíritos bons.

Bons Espíritos que me protegeis, e sobretudo tu, meu anjo da guarda, dai-me forças para resistir às más sugestões e para sair vitorioso da luta.[32]

A partir desse dia, as visitas de Marcus de Villiers à família de Guzman se sucederam. A qualquer pretexto ou a pretexto nenhum, apresentava-se ele a seus vizinhos ou convidava-os para a sua mesa ou às suas cavalgadas. Victor e Arthur sentiam algo desagradável pairando pelo ar, por causa do galante conde, e não viam com satisfação a ascendência por ele tomada sobre Andrea e seus pais. Os hábitos displicentes do novo amigo, sua facilidade em insinuar-se desagradavam àqueles cuja educação aprimorada e moral aprendida nos códigos cristãos tornavam-nos discretos e respeitosos. Marcus, porém, fingia não compreender a reserva dos dois jovens a seu respeito e continuava com os galanteios em torno

---

[32] KARDEC, Allan. *O evangelho segundo o espiritismo*, cap. 28, it. 19.

de Andrea e as insinuações junto aos velhos condes, que, encantados com suas gentilezas, mais o admiravam de dia para dia. O certo era que a jovem de Guzman d'Albret, fácil, volúvel, inconsequente, sedenta de emoções e distração, não obstante amar sinceramente o noivo ausente, deixava-se levar pelo passatempo amoroso que a distraía da mortal insipidez em que vivia, brincando com as labaredas que crepitavam no seio abrasado daquele homem que ela não conhecia.

Durante as aulas de idioma inglês, que ele deliberara dar-lhe com o consentimento dos pais, fazia-lhe declarações de amor, as quais ela recebia com sorrisos, não obstante sem retribuí-las. Recebia bilhetes trazidos por mensageiros clandestinos e entregues a Matilde, sua criada de quarto. Aceitava-o como par para os passeios pelo parque, ora a sós com ele, ora acompanhados de Arthur, cuja cadeira de rodas ele se dignava guiar. Deixava que ele lhe apertasse furtivamente a mão à mesa da ceia... mas, quando o via partir, criticava-o zombeteiramente, chamando-lhe presunçoso e brutamontes, ria-se dele a sós com Matilde, que de tudo era inteirada, considerando-o ridículo, e, espreguiçando-se entre as almofadas do divã, exclamava por entre risos:

— O senhor de Villiers, com todos os seus títulos e haveres, não vale um só fio dos cabelos louros do meu Alexis...

Admitida à intimidade, a criada acompanhava-a na crítica, pois confessava não simpatizar com a personagem em questão, mas, sob a aparência humilde e servil, aconselhava a ama, como refletindo o eco de uma advertência superior:

— Eu tenho pensado, *mademoiselle*, mau grado meu, que poderia ser muito desagradável um encontro entre o senhor de Villiers e o conde Alexis. O senhor de Villiers é atrevido e nota-se que está apaixonado por *mademoiselle*. Em seu lugar, eu temeria pelo futuro, perdoai-me dizê-lo. O conde de Saint--Patrice resignar-se-á a ser ludibriado e perdê-la? Ele parece caprichoso e não ser homem capaz de perder uma partida... E se o senhor d'Evreux viesse a saber do que se passa aqui? Ele é tão bondoso e gentil, ama-a ternamente e não merece ser enganado. Por que *mademoiselle* procede assim?

— Estás louca, Matilde? — respondeu a leviana menina. — Como saberá Alexis desse passatempo tão inocente com Marcus? Salvo se pretendes tudo contar-lhe!

— Deus me livre de tal procedimento, *mademoiselle*, estimo-vos bastante para desejar a vossa ruína...

— Pois, então, o meu Alexis de nada saberá, porque eu tampouco lhe contarei. E tranquiliza-te: meu casamento está próximo... Marcus é volúvel e aventureiro, mais alguns dias e não mais se interessará por mim, vendo que me casarei em breve. Trata-se apenas de um passatempo. Vivo enfarada e insatisfeita neste solar enorme. Arthur perturba-me os nervos e atemoriza-me com sua paixão e suas queixas. Minhas músicas enervam-me, já não me distraem. Victor é um santo a quem amo acima de todos que me cercam, mas está tão longe de mim por suas virtudes que continuo sentindo-me só... Marcus distrai-me, é só, nada mais, uma coisa inocente, nada mais, nada mais...

— Deus queira que seja assim, *mademoiselle* Andrea... Mas não sei por que, eu temo o senhor de Saint-Patrice. Ele possui olhos faiscantes, de demônio...

Andrea riu-se da simplicidade da prudente serviçal e, naquela noite, as duas jovens não mais tocaram no assunto.

Enquanto, porém, elas assim se riam, bem perto, no castelo vizinho, o senhor de Villiers de Saint-Patrice, agitadíssimo, dominado pelo nervosismo, pensava em Andrea com insistência e inquietação. Compreendia que ele próprio, que até ali jamais se interessara verdadeiramente por uma mulher, se sentia agora apaixonado por aquela insignificante adolescente, simples como a gota do orvalho da madrugada, cândida como o anjo a quem se deve veneração. Compreendia também que essa menina era a prometida esposa de outro homem, que seu consórcio com esse outro se realizaria dentro em pouco, que ele mesmo, Marcus de Villiers, precisava, de qualquer modo, evitar esse enlace, pois que a verdade era que não se poderia conformar com a ideia de perdê-la, mas que não entrevia nenhum modo de atingir o fim a que se propunha, em pensamento e coração: ter Andrea para si, esposa ou amante — que importava? —, de qualquer forma, seria sua, e para sempre. Mil pensamentos audaciosos e temerários afloravam à sua mente, porém, repelia-os em seguida, reconhecendo-os irrealizáveis. Então, ansioso e enraivecido, cheio de desejos e aflições, ia e vinha pelo seu aposento, marchando sobre os tapetes, caminhando de sala em sala, fumando furiosamente grandes charutos, bebendo copázios de vinho, falando a sós consigo, insone, irritado, raivoso, embriagado.

Uma noite, regressando do Palácio de Saint-Omer, quando tivera oportunidade de beijar Andrea apaixonadamente, deliberou visitar particularmente o conde e a condessa de Guzman, fingir ignorar o noivado da jovem, pois jamais fora participado dessa ocorrência, confessar o seu amor por ela e pedi-la em casamento. Estaria disposto a tudo, a fim de obtê-la, até mesmo ao casamento, e, por isso, por um senso de responsabilidade social, preferia tentar o alvitre mais lógico, portando-se como um cavalheiro que era, isto é, pedi-la em casamento. E, por fim, raciocinou:

— Uma negativa é quase certa, até mesmo dela, pois sei que não sou amado; ela diverte-se à minha custa, na ausência do noivo. Mas não me conformarei com a negativa. Não sou homem habituado a derrotas... Então, verei o que hei de fazer, a fim de poder torná-la condessa de Stainesbourg e Saint-Patrice... E ela conhecerá o valor de um homem!

Ora, enquanto isso se passava no Castelo de Saint-Patrice, na residência de Guzman cenas ligadas ao mesmo assunto igualmente se desenrolavam.

Victor regressara de Paris depois de um estágio de alguns dias, a serviço de seu pai, e imediatamente fora posto ao corrente da situação em torno da irmã pelo próprio Arthur, que, mal o vira chegar, pedira-lhe audiência particular. Ficara sabendo, então, que o conde de Villiers fazia visível corte a Andrea e que esta não o repelia; que Arthur procurara ouvi-la, mas que Andrea jurara inocência, dizendo apenas dispensar ao seu adorador as atenções de cortesia, coisa em que o aleijado absolutamente não acreditava, pois mais de uma vez surpreendera entendimentos entre ambos.

— Andrea atraiçoa Alexis, meu caro Victor — afirmava Arthur por entre lágrimas. — Atraiçoa-nos a todos, consentindo em ser requestada pelo conde. Tu sabes que eu a amo devotadamente. Mas calco o meu amor no coração porque nela respeito a futura esposa de meu irmão... e nem ela corresponderia ao sentimento de um desgraçado como eu... e não quero, por tudo isso, que um outro a usurpe daquele que é o seu legítimo prometido. Acredito que ela não ame o conde. Mas distrai-se com ele e isso é perigoso. Sofro profundamente, caro Victor. Andrea não aceita meus conselhos e nada tenho podido fazer em benefício da situação.

O resultado dessa entrevista foi que, naquele mesmo dia, à mesa da ceia, Victor disse à sua leviana irmã:

— Espero-te em meu gabinete ainda hoje, agora, preciso falar-te a sós.

Uma vez em presença um do outro, Victor foi breve e conciso. Demonstrando expressão grave, foi direto ao assunto:

— Chamei-te, minha querida, a fim de que me digas se amas o senhor de Villiers e se o preferes ao nosso Alexis. Arthur revelou-me tudo.

A jovem sobressaltou-se, empalideceu, gaguejou algumas palavras sem explicar-se e se deteve atordoada. Victor continuou:

— Não temas, Andrea, sou teu amigo, quase um pai, e desejo orientar-te em lugar de nosso pai, que está velho e muito já sofreu, não sendo razoável que o aflijamos ainda mais...

— Duvidas acaso dos meus sentimentos para com Alexis? — disse ela finalmente, atemorizada.

— Preferia não duvidar, Andrea, mas o teu proceder dos últimos meses faz-me crer que esqueceste teu compromisso com Alexis, diante do senhor de Villiers... Se assim é, confessa-mo francamente, porque desejo ajudar-te de todo o coração. Incumbir-me-ei do rompimento com Alexis e tratarei de um entendimento com aquele a quem preferiste...

Todavia, Andrea pôs-se a rir ao ouvir a proposta do irmão e, muito naturalmente, declarou:

— Estás enganado, Victor, continuo amando meu noivo e não pretendo renunciar ao enlace com ele. Apenas...

— Confia em mim, Andrea, dize-me tudo!

— Apenas, o senhor de Villiers exerce sobre mim uma atração irresistível. Não o amo, estou bem certa. Mas não tenho forças para fugir à sua presença e repelir seus galanteios...

— E... minha querida, que tem ele confiado aos teus ouvidos, quando estais sós?...

Já agora Andrea parecia excitada, tremia, e nervosamente respondia:

— Ele diz que me ama, que sua paixão avultou em seu peito de tal forma que já não se conformará em perder-me...

— Vamos, prossegue!

— ...Que, ainda que sucedam catástrofes e o sangue corra, Alexis não me terá por esposa. Que se dispôs a tudo, que eu o não teria apaixonado desse modo para depois atirá-lo a um olvido para ele humilhante e desesperador. Que um arrastamento fatal o impele para mim e, às vezes, odeia-me pelo muito que o faço sofrer...

— E tu, que lhe respondes?

— Nada respondo, Victor, que iria eu responder-lhe? Eu não saberia responder. Não sei o que se passa comigo. Às vezes, sinto-me apavorada, dir-se-ia que o meu antigo algoz do outro mundo comanda esses acontecimentos... Gosto de ver Marcus sofrer assim... Sinto prazer imenso em vê-lo vibrar de paixão e ansiedade e rio-me, acho graça quando o vejo suplicar o meu amor e consentimento para pedir a minha mão a meu pai...

— Arthur contou-me que acedes aos convites do conde para colóquios noturnos sob as tílias do parque. Por que procedes assim?

— E como Arthur soube que acedo a esses convites?

— Talvez fosses surpreendida por alguém que lhe tivesse informado, mas ele não mo revelou... Dize, é isso verdade? Por que procedes assim?

— Não sei, Victor! Eu não desejo aquiescer aos convites de Marcus, mas uma força estranha arrasta-me até ele...

— E lá, sob as tílias, que se tem passado?

— Sinto pejo em dizê-lo...

— Mas é preciso que eu saiba, a fim de poder ajudar-te. Que se tem passado sob as tílias?

— Perdoa, mano querido, mas temos trocado carícias muito ardentes... Não o amo, é certo, mas não posso resistir-lhe. Beija-me com ternura e eu consinto que o faça... mas quando dele me despeço e volto a encontrar-me a sós comigo mesma, chego a odiar-me e revolto-me contra mim própria. Sinto-me apavorada, Victor, com o que se passa. Sou a primeira a censurar-me por esse infame procedimento, e a verdade é que não creio no amor de Marcus, tudo isso é apenas um capricho, mero passatempo.

Victor agora sabia quanto necessitava. Aconselhou a irmã tão bem quanto pôde, fê-la prometer que se retrairia daquela data em diante e garantiu que ele, Victor, a ajudaria a resistir à perigosa fascinação que o milionário conde sobre ela exerce. Procurou fazê-la recordar a personalidade respeitável do noivo, sua veneração por ela própria, o perigo que corria frente a um homem como Villiers e, interrogando-a sobre se preferiria precipitar a data do seu enlace com Alexis ou esperar o casamento em algum convento, onde estaria ao abrigo das investidas do apaixonado adorador, prometeu falar a respeito com o pai, já na manhã seguinte, pois Andrea optara pela precipitação do seu enlace. E Victor falou com tal entono, pôs tanto calor nas advertências de que soube usar, de tão dignas expressões se serviu, e tão respeitável se evidenciou a sua autoridade, que Andrea o ouviu debulhada em pranto, fato que ele interpretou como resultante do arrependimento e da vergonha. Depois, docemente, como o pai zeloso que protege e consola, acompanhou-a até a porta dos seus aposentos e entregou-a à criada de quarto, recomendando que a fizesse deitar-se e repousar.

Na manhã seguinte, Victor não perdeu tempo. Procurou seu pai, logo depois do primeiro almoço, solicitou a presença de sua mãe, que o atendeu com solicitude, e dirigiu-se com ambos para o seu gabinete de trabalho, recomendando aos serviçais que não fossem incomodados. Uma vez reunidos, a portas fechadas, o velho conde, cheio de curiosidade, foi o primeiro a falar:

— Com que então desejas falar-me, querido filho? Estou às tuas ordens.

— Sim, desejo falar-vos... e folgaria se meu pai me ouvisse com paciência e muita atenção... Trata-se de Andrea, que, como sabeis, preocupa-nos vivamente...

— Oh! — cortou o velho senhor de Guzman. — Tua irmã tira-nos toda a paciência e o gosto pela vida!

— Observo, meu pai, que conviria imensamente à minha irmã tratarmos de marcar suas bodas para o mais breve possível. Nossa aldeia é insípida e solitária e pode enervar um temperamento que, como o de minha pobre irmã, sofre o que sabemos... Vejo-a nervosa e agitada, por vezes caindo em abstrações e melancolia profundas, e tais sintomas não tranquilizam a quem, como eu, conhece os males do corpo e os males da alma... Desejei encaminhá-la para Deus e os aspectos nobres da vida, mas ela me vem resistindo, e creio, meu pai, que este é o momento propício para realizarmos as suas núpcias com Alexis...

— Certamente, meu filho, Andrea se ressente do afastamento do noivo — aventou a condessa Françoise, enquanto seu marido silenciou. Victor continuou:

— Mais uma razão para apressarmos o enlace. O casamento seria uma bênção para ela. A presença de Alexis, com sua ternura, a vida em sociedade, que a distrairia, ocupando-lhe melhor a mente, poderão salvá-la de apreensões perigosas ao seu estado geral débil e enfermiço. Pressentimentos angustiosos me oprimem o coração.

— Mas tua irmã é uma criança, meu filho, não possui ainda o necessário discernimento para o matrimônio. O contrato de casamento por nós firmado reza três anos de espera para a realização do mesmo... Além do mais, estamos ainda de meio luto, não há sequer dois anos completos da morte de nossa prima Gabrielle de Montalban...

— Afianço-vos, meu pai, que conveniências capitais existem para a efetivação desse enlace. Alexis tem tudo preparado e lamenta essa delonga, que também a ele enerva e perturba... Ele sofre o isolamento da família, entre estranhos, e até se sente tolhido, mesmo por isso, para expansões em sua nova carreira. Nada, pois, de verdadeiramente sério impede que essas duas crianças, que tanto se querem, se unam já, tentando a felicidade. Repito: temo por Andrea! Por que não realizarmos esse casamento aqui mesmo, na intimidade da província, antes de o nosso luto terminar?

— Exageras, Victor! Andrea nunca se sentiu tão bem! Reparaste como se faz formosa e faceira, com as cores das faces mais vivas e os olhos mais brilhantes? Ela conta apenas 16 anos. Uma espera de dois anos mais, portanto, não seria demasiada. Além disso, eu teria que convocar o conselho de família, a fim de remarcar a data dos esponsais, e isso dá trabalho! O conde Alexis será razoável, por que não? Ele sempre foi razoável. E marcaremos as cerimônias para a época já combinada.

Victor compreendeu que seria inútil prosseguir na tentativa de convencer o pai. Sabia que as opiniões paternas eram irrevogáveis, pois o velho fidalgo mantinha ainda a rigidez dos costumes avoengos e sabia fazer-se respeitar. Não insistiu, portanto, como não se encorajou a declarar ao pai as verdadeiras razões por que desejava precipitar o enlace da irmã. Sentiu que seria temerário narrar ao pai a descoberta que fizera, envolvendo Andrea e Villiers e preferiu calar, meditando em outro alvitre, a bem de todos.

* * *

À tarde daquele mesmo dia, Marcus de Villiers, preocupado, como nos últimos meses se deixava estar, foi surpreendido com a visita de seu vizinho Victor de Guzman. Supunha-o ainda em Paris, e longe estava de suspeitar que Victor se encontrava a par dos acontecimentos entre ele próprio, Villiers, e *mademoiselle* de Guzman.

Anunciado pelo mordomo, e imediatamente admitido à presença do dono da casa, não demorou a explicar o móvel da visita.

— Venho à vossa presença, senhor de Villiers — disse ele, após os cumprimentos —, contando merecer da vossa lhaneza atenção especial...

Marcus assentiu com um sinal de cabeça, como quem dissesse:

— Estou às vossas ordens. Falai.

Victor continuou:

— Devo, antes de tudo, certificar-vos de que vos visito mais na qualidade de amigo, que desejo ser, do que na de simples vizinho, que realmente sou...

— Satisfaz-me saber, meu caro visconde, que desejais que sejamos amigos... porque, quanto a mim, outra coisa não desejo...

Dir-se-ia que, em presença do insinuante fidalgo, Victor também se encontrava embaraçado, em vista do assunto melindroso de que ia tratar. Houve alguns minutos de silêncio, após os quais o irmão de Andrea falou:

— Senhor de Villiers, mal cheguei a Saint-Omer, fui inteirado de que tendes intenções sobre minha irmã, *mademoiselle* de Guzman. Afiançaram-me que lhe dirigis missivas de amor inflamadas, que a tendes atraído a encontros furtivos à beira-mar, ao parque e aos bosques de Saint-Omer. Compreendi, ademais, que nos tendes visitado excessivamente, e silenciado sobre o assunto junto a meu pai, que ignora as vossas intenções... como silenciais igualmente junto a mim, que teria o direito de me inteirar desses fatos por vossa própria voz... Não ignorais, certamente, que *mademoiselle* de Guzman é uma criança inexperiente e muito simples, e que se casará dentro de pouco tempo com o conde d'Evreux, nosso primo, seu prometido desde a infância. E, diante dessa série de circunstâncias, que me parecem graves, tenho a honra de visitar-vos a fim de interrogar: é exato tudo o que me afirmaram? Sabeis que Andrea de Guzman é prometida em casamento a seu primo Alexis d'Evreux? Que pretendeis com o vosso assédio a *mademoiselle*?

Seus olhos se fixaram em Marcus, que, ousado, não se acovardou, mas que, com certa rudeza, que denunciava nervosismo, respondeu com outra pergunta:

— É porventura uma explicação que me pedis, senhor d'Albret?

Victor levantou-se. Marcus imitou-o.

— Por Deus, senhor de Villiers! Parece que sim, que é explicação o que vos peço!

— E se fossem exatas as informações que vos deram, senhor?

— Permaneceria o meu pedido de explicações.

Marcus baixou a bela cabeça e pensou, durante alguns instantes, se não seria preferível entender-se lealmente com o irmão de sua amada. Mediu as vantagens que, para o seu próprio empenho sobre Andrea, poderia trazer uma confidência na qual imprimiria o mais sincero tom que lhe fosse possível. Avaliou que, tal fosse a impressão que Victor levasse após ouvi-lo, talvez a aliança já não se fizesse entre os de Guzman d'Albret e seus primos d'Evreux, mas entre os primeiros e ele próprio, de Villiers. Certamente, naquele momento, e em todos os demais, Marcus de Villiers era sincero, pois que realmente amava Andrea, e, já que era necessário definir-se, pouco lhe custaria perder a própria liberdade, de que era tão cioso, e colocar sobre a cabeça loura de *mademoiselle* de Guzman a coroa de seus avós, de que tanto se ufanaram as gerações que o precederam. Virou-se, portanto, para o interlocutor e, como um homem cheio de intenções leais, disse em voz amigável:

— Tendes razão, senhor visconde, devo explicações e estou pronto a dar-vos. Perdoai-me, porém, se antes não vos procurei a fim de inteirar--vos do que se passa...

— Obrigado, senhor conde. Espero.

— Não obstante ter tido um passado não muito recomendável à reputação de um gentil-homem, hoje sinto-me transfigurado. Sim, fiz mal, e eu o reconheço, nas atitudes tomadas a respeito de *mademoiselle* Andrea. Porém, vendo-a, com ela convivendo, não pude resistir à atração que sua pessoa exerceu sobre o meu espírito. Amo-a, senhor, não obstante sabê-la uma criança e prometida a outro homem. Tenho razões para supor que *mademoiselle* não dedica senão um afeto medíocre ao seu noivo, efeito tão somente da convivência e da tradição, que os apontava como futuros esposos...

— Enganai-vos, senhor de Villiers! — cortou Victor, observando, mau grado seu, a crescente comoção do interlocutor. — Enganai-vos! Interroguei ontem minha irmã, devassei-lhe o pensamento, por assim dizer, sobre o ingrato assunto de que tratamos, e de sua boca ouvi a confissão de que só a morte a separará do conde, seu noivo... Creia que, se ela vos amasse, realmente, eu não vacilaria em ajudar-vos a realizar vosso ideal. O que se passa é que Andrea é uma criança que vive insipidamente e se enerva com a solidão que a cerca. Peço à vossa honra de fidalgo não mais atraí-la a encontros noturnos em nosso parque...

— Senhor! *Mademoiselle* Andrea alimentou minhas esperanças com protestos de amor, fortaleceu minhas crenças no futuro, jurou-me lealdade e jamais se referiu ao seu prometido... Acorria aos meus rogos voluntariamente, sem coação, expondo-se a perigos, a fim de atender-me. Fez-me crer que em mim confiava... São provas de amor, senhor visconde!

— Infelizmente, senhor, os fatos que relatais apenas provam a leviandade de uma donzela de imaginação ardente e sistema nervoso doentio e a má conduta de um fidalgo que não soube respeitar o solar que o recebeu como amigo.

Em outra qualquer circunstância, o fidalgo aventureiro não suportaria a rude franqueza do interlocutor. Mas ele próprio, então, achava-se muito comovido, exaltado pela ardência dos próprios desejos, para poder repelir aquele que talvez lhe fosse útil. Humilhou-se e apenas respondeu:

— Tendes razão. Não tenho agido bem. *Mademoiselle* Andrea não merece ser amada senão à luz do sol.

— Exatamente, senhor!

— Senhor visconde, sou rico, muito rico, meu brasão suponho que equivalerá à honra dos de Guzman d'Albret. Amo e respeito vossa irmã. Dotá-la-ei principescamente. Dai-me o vosso apoio, senhor, e me dirigirei ao vosso venerando pai a fim de pedir a mão de *mademoiselle* Andrea em casamento. Ela ama-me, é impossível que não me ame, não creio que me possa repelir.

Victor calou-se por um instante. Deu alguns passos pela sala e retornou ao primitivo lugar, demonstrando preocupação. As expressões de Villiers o surpreendiam. Supôs que o conde negaria as próprias atitudes junto a Andrea, ou que se exaltasse, repelindo suas exigências para uma explicação. No entanto, eis que o senhor de Villiers humilha-se, censura-se, e finaliza confessando-se até mesmo decidido ao matrimônio. Victor, porém, não era o chefe da família e não poderia responder a Villiers, peremptoriamente. Passados alguns instantes, respondeu:

— Creio a vossa pretensão irrealizável, senhor, pois, como não ignorais, *mademoiselle* de Guzman tem o seu enlace matrimonial firmado para breve. Não poderei prometer o meu apoio aos vossos intentos, pois seria uma traição à minha própria família... a não ser que Andrea realmente vos amasse. Em vista, porém, dos acontecimentos que presenciamos, sugerir-vos-ia falar ao senhor conde meu pai. É a única pessoa que poderá decidir, de uma vez para sempre, sobre tão lamentável caso.

Nada mais havendo a tratar, Victor pediu licença para retirar-se e despediu-se do interlocutor, tão constrangido como este.

No entanto, Marcus não se fez rogado e naquela mesma tarde pediu uma entrevista particular ao velho conde Joseph Hugo, a qual foi concedida para a manhã seguinte.

O drama da Bretanha

Uma vez posto em presença do seu amável vizinho, serviu-se da mais polida atitude, confessando o romance de amor existente entre ele próprio e Andrea. Nada omitiu, nem mesmo os encontros noturnos no parque, quando sentiu a jovem à sua mercê e soube respeitá-la com a devida consideração a uma donzela, nem mesmo as cartas que ela lhe dirigira, as quais exibiu aos olhos estarrecidos do velho fidalgo. Este emudecia, tolhido pela surpresa, as faces ruborizadas diante das razões do interlocutor, o qual parecia positivamente sincero.

Tendo exposto tudo, isto é, tendo confessado que assim procedia por amor, Marcus pediu Andrea formalmente em casamento, não omitindo nem mesmo as vantagens financeiras que adviriam desse casamento para a própria noiva e, certamente, para toda a família.

Mas Joseph Hugo François de Guzman d'Albret, herdeiro de uma raça de homens dignos, superiores, reequilibrou-se do amargo estupor sofrido de início, raciocinou prudentemente, em alguns curtos minutos, e respondeu concisamente:

— Ainda que não tivesse a minha palavra empenhada com os senhores de Guzman d'Evreux, senhor conde, não me seria possível dar-vos uma resposta agora. Teria de reunir o conselho de família, como é tradicional em nossa raça para casos importantes como esse. De outro modo, vós sabíeis que *mademoiselle* era prometida de um outro, pois todos o sabem em Saint-Omer, e, no entanto, entrastes ousadamente a requestá-la...

— Ela também o sabia, senhor de Guzman, e correspondeu-me.

— Parece que quisestes agir como um sedutor?

— Acabo de pedir a mão de vossa filha, senhor, e aguardo a resposta.

Atordoado e já irritado com a situação que, em verdade, por justiça penderia para o solicitante, o velho Hugo respondeu:

— Não poderei conceder o que solicitais, senhor de Villiers, tenho a palavra empenhada com outrem, embora me sinta honrado com a vossa preferência. Rogo-vos que não torneis a visitar Saint-Omer e que compreendais que deveis renunciar para sempre à pretensão que aqui vos trouxe. Peço que não ameaceis a tranquilidade de uma família inteira...

— É razoável, então, que eu nada tente para conseguir a felicidade que aspiro?

— É lamentável, senhor, mas nada poderei fazer a fim de ajudar-vos.

Marcus cumprimentou polidamente o seu vizinho e despediu-se, rogando escusas pelo incômodo que causara e sendo acompanhado, até a carruagem, pelo novo mordomo, isto é, Jacques Blondet, que subira de posto nas funções do Palácio de Saint-Omer, pelos bons serviços prestados até então.

À noite, porém, Andrea de Guzman, que o dia todo passara agitada por crises de angústia que a levavam às lágrimas, recebeu a seguinte carta, vinda por intermédio de sua fiel criada Matilde, que, por sua vez, a recebera do seu prometido, empregado das cavalariças de Villiers:

"Minha querida. Estou desesperado, ameaçado de perder-te, coisa com que não me conformarei jamais. Nunca mais poderei voltar a Saint-Omer: teu pai proibiu-mo fazê-lo hoje, quando pedi a tua mão para que sejas minha esposa e minha querida condessa. Devo partir para sempre, voltarei para a América, de onde jamais deveria ter regressado, e onde tentarei esquecer-te. Mas, antes, desejaria dizer-te um supremo adeus. Vem hoje, ou amanhã, ou depois de amanhã, quando puderes; não mais, porém, sob as tílias, local já do conhecimento de todos, mas sob a latada de rosas, do lado oposto. Estarei à tua espera diariamente, até as três horas da madrugada. Teu do coração – Marcus de Villiers."

8

O OBSESSOR

467. Pode o homem eximir-se da influência dos Espíritos que procuram arrastá-lo ao mal?

Pode, visto que tais Espíritos só se apegam aos que, pelos seus desejos, os chamam, ou aos que, pelos seus pensamentos, os atraem.

468. Renunciam às suas tentativas os Espíritos cuja influência a vontade do homem repele?

Que querias que fizessem? Quando nada conseguem, abandonam o campo. Entretanto, ficam à espreita de um momento propício, como o gato que tocaia o rato.[33]

A obsessão, ou loucura por constrangimento, é, sem dúvida, uma das mais tremendas desgraças que poderão atingir o ser humano. Constitui provação, na maioria dos casos é expiação, resgate doloroso e humilhante daquele que, no passado ou mesmo na existência vigente, andou ultrajando a Lei do Criador com atos criminosos contra o próximo. A obsessão é o desespero que envolve a criatura, a alucina e deprime, sujeitando-a às mais deploráveis consequências, até a queda

---

[33] KARDEC, Allan. *O livro dos espíritismo*, Parte Segunda, cap. 9, it. 467 e 468.

moral e mesmo o suicídio. O maior antídoto contra a obsessão, porém, é a prática dos mandamentos da Lei de Deus. Aquele que a esses mandamentos observa, com as virtudes daí adquiridas, estará imunizado contra as investidas obsessoras dos infelizes a quem o ódio inveterado, o despeito, a inveja ou a vingança jungiram às trevas. A ação obsessora, contudo, somente será exercida se o obsidiado, pelas suas qualidades morais inferiores, igualar-se, vibratória e moralmente, ao seu antagonista desencarnado. Sua cura, como vemos, será difícil, pois que exigirá reformas morais acentuadas, e a reforma do caráter de uma criatura é obra de séculos, não de dias ou de meses, como muitos de nós vimos presumindo. Algumas vezes, para que haja ensejo de o obsidiado procurar renovar-se moral e mentalmente, em busca da cura, o obsessor pode ser constrangido a afastar-se. É a misericórdia do Alto em ação salvadora, abrangendo os litigantes. Se, porém, o obsidiado conservar-se relapso e não se aproveitar do ensejo bendito para se melhorar, e se o obsessor, nesse espaço de tempo, por sua vez, não tomar resoluções regeneradoras que o convençam de que é preciso perdoar e esquecer o passado, porque a vingança perpetua o crime sem consolar o vingador e remediar o passado, a aproximação dos dois adversários far-se-á novamente e, frequentemente, tornar-se-á mais violenta do que o era antes. Daí poder-se-á concluir que são dois criminosos em litígio, duas almas infelizes que se punem e castigam, pois o obsessor é tanto ou mais desgraçado do que o obsidiado, e que ambos sofrem porque querem sofrer. A bondade do Alto, sempre atenta, socorre geralmente essas duas ovelhas transviadas. Mas raramente é entendida. Comumente, então, o litígio continua no mundo espiritual, espraia-se em dores e situações inconcebíveis aos seres humanos cujos sentimentos equilibrados jamais passaram por esse estágio de trevas. Do mundo espiritual retornam os litigantes, então, à reencarnação: são irmãos consanguíneos, são pai e filhos ou mãe e filhos que se detestam, cujo lar é o inferno em que estagiam, mas cujas vidas, atadas no ergástulo da convivência diária e do dever, tendem a modificar-se, marchando para a reconciliação necessária, porque a lei que rege os Espíritos, filhos de Deus, é amor e progresso, que impelem à perfeição.

Convém que essas coisas sejam ditas aos homens para que, algum dia, venham eles a aprender que será mais fácil e meritório amar que odiar, perdoar que vingar, esquecer ofensas que sofrer indefinidamente, recordando-as, evitar a obsessão, portanto, do que praticá-la ou sofrê-la, pois, repetimos, uma vez sendo-lhe dado livre curso, ela exigirá séculos para se extinguir.

Ora, foi exatamente esse tenebroso panorama que envolveu Andrea de Guzman e seu antigo obsessor, que se dizia ter chamado "monsenhor de B." em uma existência, e Arnold Numiers em outra, quando a conhecera e passara a odiá-la.

Vimos que Andrea repudiara o ensejo que o Alto lhe concedera na pessoa do irmão, Victor de Guzman, o qual desejara reeducá-la para Deus e as virtudes. Em vez de atendê-lo, envolveu-se nas paixões inferiores, dando-se aos desfrutes de um aventureiro que pretendia amá-la, excitada pela solidão. Quanto ao obsessor, vejamos o que lhe sucedera durante o intervalo do ensejo que igualmente obtivera, a fim de procurar reeducar-se para Deus e a prática da sua lei de amor, perdão e progresso.

Chamar-lhe-emos Arnold Numiers, pois fora essa a sua identidade de homem quando encarnado pela última vez.

Arnold Numiers, pois, o Espírito perseguidor de Andrea, no momento em que Victor evocara as forças superiores do mundo astral a fim de ajudá-lo a libertar a irmã, vira-se constrangido a concordar em afastar-se, cedendo a uma proposta sumamente grave que lhe fizera Victor: permitir tréguas à sua inimiga, de modo a que esta se recuperasse, renovando-se moralmente com a aquisição de virtudes capazes de apagar o mau passado que vivera em encarnação anterior. Soltara um grito de raiva e pavor ao se ver devassado por um jato vivo de luz, grito que fora traduzido por Andrea, quando Victor com ele se entendera por intermédio da mesma. Durante muito tempo, ele vagou pela atmosfera das imediações do Palácio de Saint-Omer, desolado e impotente, como que tolhido em sua liberdade, sem poder atingir o ambiente de onde saíra, mas sem perder de vista a paisagem em que se movimentavam a jovem de Guzman e seu primo Arthur. A este contemplava de longe, como refletido por entre neblinas, com ternura e saudade, mas a Andrea vigiava incessantemente, alimentando o ódio em que se envolvia, com o intransigente desejo de que todos os males e desgraças do mundo se abatessem sobre ela.

Por meio das vibrações daquela claridade que sobre ele incidia, qual advertência protetora da misericórdia do Alto, ouvia, como eco provindo de longe, trazido por vibrações benfazejas, conselhos de paz, convites ao perdão e ao esquecimento, sugestões para um retiro nas estâncias reeducativas do Além, murmúrios de preces, mil atrações para uma renovação mental e vibratória, por intermédio de trabalho edificante do bem. Mas resistia, atendo-se ao que supunha o dever de vigiar Arthur contra as investidas de Andrea, pois não confiava nela, lembrava-se das desgraças que esta àquele infligira no passado e não perdia um só dos seus atos na vida prática e íntima. Quando do desastre que reduzira Arthur à invalidez, seu desespero, como Espírito, não teve limites. O isolamento em que se reconhecia, como que ilhado pela luz devassadora, a dor de ver "seu filho" tão querido de outras vidas preso a uma cadeira de rodas tornou-o inconsolável, curtindo, então, desesperos inauditos. Sabia que tal acontecimento era consequência do terrível suicídio por esse filho praticado ainda ontem, em outra vida, e que esse suicídio tivera por causa Andrea, ou seja, a infame Berthe de outro tempo, e seu ódio avolumou-se quiçá com maior furor. Outra vez revia as cenas pavorosas daquele dia do passado, na aldeia de Stainesbourg: o suplício de seu filho Henri (o Arthur de agora) rolando, ensanguentado, a pedreira imensa que dominava o burgo onde viviam, seu corpo dilacerado encontrado por ele próprio, seu pai, no fundo do vale, e o sepultamento tardio e solitário à beira do riacho, em terra profana, porquanto não era permitido, pelas leis religiosas, o sepultamento do suicida em terra consagrada pela Igreja. E atordoado, alucinado por essa visão implacável, extraída por sua rebeldia do fundo das próprias recordações, transtornava-o a outra, não menos atroz para o

O drama da Bretanha

seu coração inconsolável: Arthur detido na cadeira de rodas, como punido pelo próprio suicídio, levando-o a crises de desespero impressionantes, durante as quais repetia:

— Ela há de pagar! Levá-la-ei ao suicídio, como ela levou ao suicídio o meu pobre filho.

Era como se Henri, tendo-se atirado da pedreira e caído no fundo do vale, não morresse, mas se levantasse aleijado e inválido pelas fraturas consequentes da queda e agora se sentasse numa cadeira de rodas com o nome de Arthur.

Conselhos, palavras amigas que, por vezes, docemente vibravam em murmúrios confortadores junto dele tentavam consolá-lo, sem que ele lograsse acatá-los. Preces que ele ouvia fazerem em seu benefício, até mesmo por Victor, passavam por ele com o intento de envolvê-lo em refrigérios. Todavia, o seu endurecimento mental esfriava o calor benéfico daquelas vibrações e ele prosseguia na sua glacial desgraça, preso a um passado que teimava em se conservar presente. Nesta situação, deprimente para um Espírito que antes deveria marchar serenamente para Deus, o obsessor de Andrea, certo dia, viu Arthur chorar copiosamente, a sós em seu quarto, quando todo o castelo já mergulhara no silêncio noturno.

Porventura ainda mais aflito, achegou-se ao amado filho do passado e auscultou as razões por que o infeliz tanto se torturava.

O exame das vibrações pessoais, no Mundo Espiritual, é um acontecimento natural. Sabe-se que alguém sofre, pois que chora, e pranto é vibração dolorosa, tão angustiosa que comunica ao observador a amargura deprimente, e sabe-se por que e por quem alguém sofre e chora, porque o pensamento do sofredor reflete as imagens que o torturam, focaliza cenas e o drama todo no qual se debate, revela-se, seja o observador espiritual de elevada categoria ou de inferior condição na hierarquia da vida invisível. Trata-se, pois, esse fenômeno, de um fato natural, uma Lei da Natureza comum à vida do Espírito. Daí porque todas as crenças religiosas, espiritualistas, a moral, o senso, a razão, o sentimento e até a terapêutica recomendam ao homem cuidado com os próprios pensamentos, pois, além de mil outros inconvenientes sempre desagradáveis, os pensamentos mal dirigidos podem atrair um obsessor ou a este indicar pistas desfavoráveis ao próximo.

Arnold Numiers compreendeu que a causa dos novos sofrimentos de Arthur provinha ainda de Andrea. Procurou-a, então, cioso de perscrutar sua conduta desde quando dela se afastara atendendo às súplicas de Victor, que desejara reeducá-la. Fiel à própria palavra, mantivera-se afastado durante todo esse tempo, não obstante continuar atento e conservando seu antigo ódio. Dirigiu-se, pois, ao aposento da jovem. Ela deveria estar ali, pois a noite ia avançando. Uma vez ali, encontrando o seu corpo adormecido, seria fácil encontrar a verdadeira individualidade e entender-se com ela, pedindo-lhe satisfações pelas ofensas dirigidas àquele que chorava e, então, quiçá castigá-la, torturá-la. Mas o leito de Andrea estava vazio: ela não se recolhera ainda. Dirigiu-se ao salão, onde sabia comum o serão da família. Encontrava-se deserto. Esquadrinhou todos os aposentos onde fosse possível encontrar-se a jovem. Não a encontrou em parte alguma. Entretanto, todos dormiam, todos estavam recolhidos, até mesmo Matilde.

Onde estaria ela?

Saiu então para o parque, pois não ignorava o velho hábito de Andrea, que gostava de, sozinha, perambular pelo jardim ou pelas alamedas do velho parque. Depois de algum trabalho, pois não possuía lucidez bastante para penetrar a ambiência e devassar seus escaninhos de uma só vez, depois de algum trabalho e atraído, certamente, por afinidades que o desamor estabelecera, foi encontrar Andrea nos braços de um homem, na semiobscuridade de uma latada de rosas, que a luz da Lua mal iluminava. Então compreendeu o que se passava. Era mais uma traição, das muitas que ela tão bem sabia praticar contra aqueles que a amavam. Era por isso que Arthur sofria e chorava. Andrea era infiel ao noivo, aos pais, ao irmão, e a ele, que também a amava e quisera vê-la pura e dignificada por si mesma.

Era uma hipócrita, que traía a um e a outro, não merecendo, portanto, a consideração de que se via rodeada, o nome tradicional e honrado que trazia, nem a confiança do noivo, que nela depositava fé e esperanças. Compreendeu que Arthur continuava amando-a com toda a sua alma. Que se resignara a perdê-la em favor do irmão, escolhido pela família para desposá-la, mas que a quisera pura e respeitável como todos a julgavam ser. Sua aversão, seu rancor, seu desprezo pela infeliz menina não teve, então, limites. Vendo-a ali, nos braços de um estranho, embriagando-se com seus beijos, alucinando-se sob o calor dos seus abraços, os pensamentos do obsessor retrocederam no tempo, sem ele próprio o desejar, e viu-se no século XVI, sofrendo o drama da traição de Ruth Carolina a Luís de Narbonne. Pensou no que esse seu filho adotivo de então sofrera, engodado pelo fementido amor dessa mesma personagem que ali estava, sob a latada de rosas, disfarçada em novas roupagens carnais. Relembrou, depois, o drama de Henri Numiers, torpemente enganado e novamente traído por essa mesma mulher, em existência decorrida no século XVII, e pensou em Arthur, reencarnação do primeiro e do segundo, sozinho e sofredor, numa cadeira de rodas, a chorar no isolamento da noite a consequência de um suicídio cuja causa fora ela própria. E dizia consigo mesmo, ali, enquanto a contemplava:

— Eu me penalizei desta criatura e creio até que cheguei a amá-la, quando ela se chamava Ruth Carolina e tivera a família massacrada pelo terrível decreto de Catarina.[34] Sua vingança contra o meu Luís foi cruel e desumana. Fui, contudo, seu amigo e até cheguei a compreender e relevar o seu crime contra ele, por amor dele próprio. Amei-a um século mais tarde, quando ela se chamou Berthe de Stainesbourg e foi a esposa do

---

[34] N.E.: Alusão à matança dos "huguenotes", em 1572.

meu pobre Henri, a quem levou ao suicídio com novas traições. Perdoá-la-ia sim, agora — quem sabe? —, se a visse arrependida, ajudando o pobre Arthur a carregar a cruz que ela própria para ele criou. Fiz um pacto com seu irmão, a quem admiro e respeito porque soube perdoar a Luís o horrível massacre,[35] e comprometi-me a deixá-la à vontade, a fim de se reformar moralmente e iniciar caminhos novos, para o bem de todos. Mas, em vez disso, que vejo? Traição, sempre traição! Sempre a mesma, desde os tempos de Catarina![36] Traidora e indigna! Eu sabia que ela não se submeteria aos desejos do irmão. Necessita sofrer, sofrer muito! O que ela sofreu depois dos dramas que a atingiram não foi sofrimento, foi revolta e rebeldia. Agora, tenho-te, miserável, e não te deixarei tão cedo!

As correntes funestas do pensamento de Arnold Numiers teriam certamente fulminado Andrea se em seu socorro não partissem outras, benévolas e caritativas, numa tentativa suprema para furtar a presa ao seu perseguidor, a ver se ela conseguiria ainda recuperar-se.

Amigos desvelados, que do Invisível a queriam, esforçavam-se por ampará-la e, com efeito, conseguiram vantagens sobre o obsessor naquele momento, muito embora reconhecendo que a infeliz determinara o próprio destino com as detestáveis ações de suas vidas pretéritas e a indiferença conjugada à volubilidade do presente.

Subitamente, como que movida por um impulso exterior, Andrea desvencilhou-se dos braços de Marcus, pois ela atendera ao pedido da sua carta da véspera, indo despedir-se dele no parque, a horas mortas da noite. Muito comovida, sabendo, por ele próprio, do pedido de sua mão por ele feito, deixou-se envolver por suas carícias, na certeza de que se despedia dele para sempre. Afastou-se, pois, libertando-se dos seus braços, assustada, como se fora surpreendida por alguém:

---

[35] N.E.: Alusão a episódios constantes do romance *Nas voragens do pecado*.
[36] N.E.: Catarina de Médici, Rainha de França. Alusão a acontecimentos narrados no romance *Nas voragens do pecado*.

O drama da Bretanha

— Adeus, Marcus! Não posso mais permanecer aqui, seria temerário. Se fôssemos descobertos, nem sei o que poderia suceder. Agradeço o me teres amado e desejado por esposa, mas nosso amor é impossível, é impossível!

— Rejeitas-me, então, depois de tantas provas de amor me teres dado? Sabes que é duro para um homem ouvir o que acabas de dizer, e que eu não desejo resignar-me a perder-te? Como viverei sem ti? Preciso falar-te ainda, espera, não te vás, ouve-me: não me abandones, sei que me amas, lutemos juntos por nosso amor, havemos de vencer!

— Adeus, Marcus! Lamento a tua partida, mas nada poderei fazer. Meu compromisso com Alexis é grave, é um compromisso de honra!

— Partirei depois de amanhã. Quero ver-te ainda por uma última vez. Espero-te aqui amanhã, às mesmas horas...

— Não poderei, tenho medo, muito medo, deixa-me regressar a casa, por favor, Marcus, larga-me, deixa-me! O que fazemos é perigoso, é temerário!

— Voltarás amanhã, prometes?

A fim de livrar-se dele, ela prometeu:

— Sim, voltarei, prometo.

— Se faltares, serei capaz de loucuras...

— Prometo que virei.

E separaram-se. Andrea entrou sutilmente em seus aposentos imersos em solidão. Marcus de Villiers saltou o muro, qual assaltante destemido. Um criado esperava-o do outro lado, com um cavalo. Ele montou e dirigiu-se a galope para casa.

No dia seguinte, Andrea levantou-se tarde e muito nervosa. Sentia-se triste e angustiada, teve crises de choro frequentes e seus pensamentos voavam para Marcus com uma insistência atordoante, alheando-a de tudo o mais.

O acontecimento da noite anterior emocionara-a até o delírio. Durante todo o dia sentiu-se ainda como envolvida por seus braços, e a impressão que tinha era que aqueles lábios ardentes não se despegavam de sua pele. Sentia ainda o arfar do seu peito junto ao dela, perturbava-a o perfume dos seus cabelos, que impregnara o seu olfato. Em vão, Matilde trouxera-lhe alimentos no quarto, vendo que ela se negava a comparecer à mesa da família. Em vão, o generoso Victor indagara sobre a razão de sua amargura e Arthur suplicara que abrisse com ele o coração, pois era seu incondicional amigo, desejava ajudá-la. Sua mãe convidara-a à oração. Aquiesceu, mas não conseguiu fixar o pensamento nos esplendores celestes: a imagem que dominava sua mente e todos os seus sentidos, obsidiando-os ao indescritível, não era a de nenhum ser celeste, mas a de Marcus de Villiers. Dir-se-ia uma obsessão fixada em sugestões mentais. Dir-se-ia uma alucinação histérica, um delírio, uma desesperação surda e inconsolável que lhe oprimia a vontade, escravizando-a a um desejo invencível de pensar em Marcus, de vê-lo, de falar-lhe, de pertencer-lhe.

E nessa predisposição de espírito viu aproximar-se a noite.

9

O SEDUTOR

Qual não será a minha indignidade, pois que um ser malfazejo me pode escravizar!

Faze, ó meu Deus, que me sirva de lição para o futuro este golpe desferido na minha vaidade; que ele fortifique a resolução que tomo de me depurar pela prática do bem, da caridade e da humildade, a fim de opor, daqui por diante, uma barreira às más influências.[37]

Fazia uma noite silenciosa e calma, como se a Natureza quisesse espreitar furtivamente o mundo e a consciência da Humanidade. Fazia frio, mas os ventos não sopravam.

Em Saint-Omer o silêncio era completo, talvez sinistro. Nenhuma ave noturna revelava suas habilidades especiais; nenhum pipilo nas árvores, sequer um adejar de feios vampiros. E, nos estábulos, nos apriscos, nas matas, por toda parte o mesmo soturno e impressionante silêncio. Às vezes, parece que a Natureza para, temerosa de testemunhar certas cenas que os homens são capazes de praticar. Apenas o mar, ali, bem perto,

---
[37] KARDEC, Allan. *O evangelho segundo o espiritismo*, cap. 28, it. 82.

nas ribanceiras de Saint-Omer, rugia qual titã odioso que atrai e seduz para esmagar, que brada e blasfema, levantando suas garras para trucidar corpos cujo coração e consciência não souberam controlar as paixões da vida. Reluziam, longínquas, pálidas estrelas num céu sem Lua.

De há muito, no velho solar do senhor de Guzman as luzes se haviam apagado. Dormiam todos o sono reparador das preocupações diárias, ou, pelo menos, o silêncio que ali pairava indicava que todos os seus habitantes deviam dormir.

Contudo, assim não era.

Andrea de Guzman velava, pensando na necessidade de atender a súplica de Marcus, encontrando-se com ele pela última vez, sob a latada de rosas. Impossível deixar de atendê-lo, pensava ela nervosa, só em seu quarto de dormir. Todo o seu ser exigia que ela fosse vê-lo. Seria somente mais aquela vez, a última, em que lhe diria adeus para sempre. Mas sentia medo, pressentia desgraças esparsas pelo ar, e tremia violentamente, excitada por choques nervosos.

Não obstante, não desistia da ideia de ir ao encontro dele, queria ir, era-lhe necessário ir.

Jacques Blondet, desconfiado de fatos estranhos que ultimamente se passavam em Saint-Omer, velava, pensando em Andrea e no seu amor oculto e impossível. Vira, ao anoitecer, criados de Villiers rondando os limites do parque, como se perscrutassem alguma coisa, pois aos seus ouvidos chegara a notícia de que o velho conde, seu amo, convidara Villiers a não mais visitar a família. De nada suspeitava, porém, contra Andrea, a qual, segundo o pensamento de todos, renunciara aos passeios noturnos pelo parque desde que se restabelecera das terríveis crises que antes a assediavam. Somente seus familiares sabiam da ingrata verdade. Arthur d'Evreux velava também, revolvendo a mente em suposições a respeito de Andrea e de Marcus, pois conhecia o conluio criminoso da prometida do irmão com aquele amigo infiel, que parecia ostensivamente seduzi-la.

Pela manhã, Andrea recebera nova missiva de Marcus, lembrando-lhe a promessa da noite anterior, e agora, quando se aproximava o momento da entrevista, ela sentia horror de si mesma, reconhecendo que o atenderia, não poderia deixar de atendê-lo. Por sua vez, Marcus passara o dia agitado, mas decidido às maiores consequências, a fim de prender Andrea a si:

— Mostrarei àqueles dois conservadores o que é possuir uma vontade forte e que um homem como eu não será em vão humilhado. Desejo Andrea para minha mulher e a terei por mulher, custe o que custar. Mas... e se ela não vier esta noite ao local combinado?...

E perdia-se em ânsias insensatas, também ele como que pressionado por uma atuação obsessora. E, dominando essa paisagem de paixões que lhe ofereciam campo fértil para atingir o fim que trazia em mira, lá estava o revoltado Espírito Arnold Numiers, que não examinava os meios para atingir a sua inimiga do passado. Ora, o resultado dessa luta inglória, mais vulgar na vida humana do que o próprio homem supõe, foi que, à hora indicada por Marcus, Andrea viu-se caminhando para o parque, onde era por ele esperada. Sacudida por tremores nervosos, gelada de um frio nervoso, toda trajada de negro como o anjo do pecado, ela, de repente, viu-se enlaçada por dois braços vigorosos, que a apertaram contra o coração.

— Andrea, oh, Andrea querida! — exclamou, mal a viu, indecisamente, entre as sombras noturnas, caminhando para o local indicado, a voz rouca e trêmula. — Com que ansiedade te esperava! Cheguei a pensar que não quisesses consolar o desgraçado que vai partir e quer, ainda uma vez, dizer-te que te ama e que tu o tornaste no mais desesperado dos homens. Não, não me fujas, Andrea! Fica um instante ainda junto de mim... é a última vez, minha querida! Amanhã já não me terás aqui...

Nunca mais, ouviste? Nunca mais, meu anjo, me verás em teu caminho... Como viverei sem ti? Deixa-me beijar-te pela última vez, para que a lembrança das nossas carícias seja o consolo da minha infortunada vida... Sou tão desgraçado, e, no entanto, amo-te tanto que por ti daria cem vidas, se cem vidas eu tivesse...

E beijava-a com ardor, abraçava-a com delírio, sentando-a sobre seus joelhos como o teria feito a uma criança, choroso e amargurado.

A infeliz menina pôs-se a chorar, aflita e apavorada da própria temeridade. Tentava desvencilhar-se daqueles braços que a tolhiam e a custo dizia, por entre lágrimas, meio desorientada:

— Coragem, senhor conde! Se soubésseis como tenho sofrido pelo que adivinho nas vossas atitudes tão desorientadas! Perdoai-me, oh, perdoai-me o mal que, sem querer, vos causei! Acedendo a este imprudente encontro, só desejei pedir-vos que me perdoásseis e que me prometêsseis tudo fazer para esquecer-me com presteza e procurar ser feliz...

Ela falava com ansiedade e toda tremia de ansiedade e susto. Seu coração palpitava descompassadamente. O medo e o terror cresciam a cada instante em seu coração. Por várias vezes tentou desvencilhar-se das mãos de Marcus, tentando fugir, correr para casa. Mas este a detinha sempre, com violência, ansioso também, insistindo:

— Está, pois, tudo acabado, minha Andrea? Retiras-me, então, toda e qualquer esperança de felicidade? Não te compadeces de mim?

— Para que insistirmos numa coisa irremediável, senhor conde? Sim, é preciso renunciar. Perdoai-me! O vosso amor por mim não é verdadeiro, conforme julgais. É uma impressão passageira, assevera meu irmão Victor. Por Deus, esquecei-me! E agora, deixai-me ir, senhor, que tremo de frio e de susto...

— Amas, então, desgraçada, realmente, ao teu noivo, e por isso me desprezas? Julgas, porventura, que um homem como eu se resigna ao desprezo de alguém?

— Ó, senhor, mas quem disse que vos desprezo? — exclamou, vibrante, a donzela, vendo, assustada, que o interlocutor se irritava. — Eu não vos desprezo, apenas...

— Apenas...

— Sou prometida de meu primo Alexis, nossas famílias resolveram casar-nos, trata-se de um compromisso de honra; procurai compreender, senhor!

— Casar-te-ás, pois, com ele?

— Sim, senhor conde, devo casar-me com ele, nós nos amamos desde a infância...

Mas o senhor de Villiers não a soltava. Ou porque trouxesse consigo a premeditação infame, ou porque no momento se irritasse com a confissão da infeliz menina, o certo foi que, pressionando com mais força as mãos geladas de Andrea, prendeu-a mais junto a si, envolvendo-a em seus braços de ferro, e, como se todas as chamas infernais crepitassem ardências malditas em suas veias, raivoso, cruel, traidor, procurava-lhe as faces, os lábios, todo aquele corpo débil que se estorcia entre seus braços e, por entre beijos enlouquecidos, repetia a cada instante, como um demônio exacerbado:

— Não, não, Andrea, nunca pertencerás a esse Alexis que eu odeio, nunca! Amo-te, quero-te e serás minha para sempre! Não, não me fugirás, não te deixarei fugir!

A luta foi terrível para Andrea, que finalmente compreendeu o abismo a que se expusera. Suplicava-lhe piedade, debatia-se por entre lágrimas, qual o náufrago entre vagas violentas. Um drama inenarrável desenrolou-se então nas trevas silenciosas do parque de Saint-Omer. Nesse drama, incitado, além do mais, por um obsessor sedento de vingança, a parte mais frágil teria, fatalmente, de sucumbir.

Andrea sucumbiu.

Quando, ao soar das três horas da madrugada, no grande relógio de Saint-Omer, a menina de Guzman retornou aos próprios aposentos, docemente amparada, até a entrada, pelo sedutor, já não era a noiva de Alexis d'Evreux, mas a amante de Marcus de Villiers.

* * *

Entrementes, Marcus mantinha-se sereno no seu velho Castelo, de Saint-Patrice. Encontrava-se mesmo jubiloso e cheio de esperanças no futuro. Não tencionava viajar e ainda menos ir-se embora da França. Usara apenas de um ardil, a fim de atrair Andrea a si. No dia seguinte àquela noite dramática começara por saudar amistosamente os servos de sua casa e chegou ao cúmulo de apertar a mão ao mordomo, num excesso de amabilidade. Estava alegre, a felicidade irradiava de seus modos, tornando-o eufórico e tolo. Ao jantar, depois de ter passado o dia em seu gabinete consultando papéis e fazendo cálculos, chamou o intendente e disse:

— Tenho a dizer-te, meu caro Vantreuil, que terás acúmulo de serviços de hoje em diante...

— É-me grato servir-vos, senhor...

— Trata-se, nem mais, nem menos, de proveres a qualquer falta, a qualquer ornamento de nossa casa. Olha! Meterás mãos à obra já amanhã. Procurarás mobiliadores, tapeceiros, decoradores... Quero tudo belo e muito artístico. Não poupes esforços para agradar-me... Havemos de montar principescos aposentos para uma dama... Ah! não te esqueças

O drama da Bretanha

de encomendar ricos enxovais em linhos, sedas, rendas... Creio que não teremos muito tempo a perder. Tenho pressa de tudo isso.

— Se me permitis, senhor, perguntar-vos-ei se recebereis alguma visita real? Pois o Castelo já é ornado como a moradia de um príncipe...

— Faze o que te digo, Vantreuil, e aguarda os acontecimentos.

À noite, quando o criado de quarto o despia para deitá-lo, Marcus, sempre radiante, bateu-lhe no ombro e, com ares de mistério, falou num incontido desejo de confidências:

— Soubeste das ordens que dei hoje a Vantreuil, nosso intendente?

— Para remodelar o Castelo? Sim, senhor, eu soube.

— Mas aposto que não adivinhaste por que essa ordem foi dada?

— Decerto esperais visitas honrosas, como aquelas que em Paris o senhor conde recebia frequentemente...

— Nada, não é isso! Os parisienses não gostam da Bretanha e eu agora desejo ser provinciano. Estou cansado de festas e tumultos, Marshal, agora desejo tranquilidade...

— Então, sinto muito, senhor, mas tenho o desgosto de confessar--vos que nunca fui dado a decifração de enigmas.

Marcus deitava-se e, enquanto o servo lhe oferecia um charuto perfumado:

— Vou casar-me, Marshal!

— Oh! Vós, senhor conde? Estarei louco?

— Ah! Ah! Eu bem sabia que não adivinharias. Aí estás, mudo de espanto! — retorquiu a rir, vendo o ar de surpresa do fiel servo. — Pois é como te digo: teremos bodas muito breve, em nosso Castelo de Saint-Patrice...

Marshal, como todo criado de quarto de um fidalgo liberal como seu amo, tinha direito a certas intimidades que aos demais não eram permitidas. Realmente surpreendido, uma vez conhecedor das opiniões do amo sobre o casamento, não chegou mesmo a acreditar no que ouvia. Entretanto, interpelou o amo, sem temer severidades por se arvorar em inquiridor:

— Custa-me a crer, senhor, no que me contam os meus ouvidos. Teria o senhor conde encontrado alguma fada para desposá-la? Pois não creio que uma mulher comum pudesse enfeitiçá-lo assim.

— Repito, Marshal, que haverá bodas em Saint-Patrice. Quero uma cerimônia pomposa, como esta pobre Bretanha jamais assistiu. Ah! Mais surpreendido ficarás se eu te disser que eu é que serei pedido em casamento.

— O senhor conde pedido em casamento por sua noiva? Oh, estarei sonhando?

— É como te digo. Ou terás a ousadia de julgar-me mentiroso?

— Deus me livre de tal insulto. Mas poder-se-á ao menos saber quem é a nossa futura ama, condessa de Villiers de Saint-Patrice?

A essa evocação Marcus soltou um suspiro profundo, pensando em Andrea, com quem decidira casar-se se os acontecimentos seguissem o curso por ele previsto. Condessa de Villiers, ela! Sim, por Deus! — pensara ele ouvindo Marshal. — Andrea usará com garbo e majestade o título dos de Villiers! É uma perfeita aristocrata. E que bela mulher! Dir-se-ia uma escultura da beleza, com seus grandes olhos de um azul profundo e os cabelos arruivados caindo em cachos pelos ombros! No entanto, mordendo o charuto e fitando o criado com ar brejeiro:

— Oh! queres tudo saber para já propalares um assunto que eu desejo, por ora, em segredo?

— É o bastante, senhor, para que eu procure adivinhá-lo. Será ao menos formosa a futura condessa?

— Achas, malcriado, que Marcus de Villiers poderia ser marido de uma mulher feia?

— Bem, é formosa. E é jovem?

— Por Deus! Como ousas julgar que perdi o senso a ponto de enamorar-me de uma mulher velha?

— Bom, é jovem. Deve ser muito jovem. E... rica? Nobre?

— Dir-se-ia que me interrogas, Marshal? Mas hoje estou feliz e quero responder-te: nobre, sim, de velha nobreza secular. Rica? Sofrivelmente. Em suma, amo-a e não pensei no dote que poderia ou não trazer. Aliás, dotá-la-ei com metade da minha fortuna.

— Jesus! Para que tanto, meu amo?

— Com Saint-Patrice. Será dela este Castelo.

— Ah!

— As joias do tesouro da família...

— Oh!

— E as baixelas das nossas residências, que, como sabes, valem uma grande fortuna.

— Ah!

Marshal olhava estupefato para o amo, agora convencido de que este era sincero. Para que Marcus falasse assim, era preciso que estivesse realmente apaixonado.

— Então — disse este, rindo-se da admiração do servo —, que esperas? Não me felicitas pelo meu noivado?

— Felicito, sim, de todo o coração. E declaro-vos que descobri o nome da futura senhora de Villiers... isto é, quero dizer...

— Vamos, diga-o, porque, se não acertares, mandar-te-ei açoitar por tua mulher, Catarina...

— É *mademoiselle* Andrea de Guzman, há muito que eu desconfiava.

Marcus de Villiers riu-se como uma criança e cobriu a cabeça, como ocultando a emoção da alegria que ardia em seu peito. Minutos depois, Marshal saía do aposento, desejando ao amo felizes sonhos de noivado, para reunir-se aos companheiros na sala da criadagem, e, em alguns minutos, todo o castelo fora informado de que o amo, senhor de Villiers de Saint-Patrice, casar-se-ia dentro de poucos dias com sua linda vizinha, *mademoiselle* Andrea de Guzman.

10

EM SAINT-OMER

[...] Conserva-te pura aos olhos de Deus, se não queres que o teu anjo guardião para o seu seio volte, cobrindo o semblante com as suas brancas asas e deixando-te com os teus remorsos, sem guia, sem amparo, neste mundo, onde ficarias perdida, a aguardar a punição no outro.[38]

Em Saint-Omer eram bem diferentes as cenas que se desenrolavam.

Haviam transcorrido dois dias após a noite dramática em que um fato imenso ali ocorrera. Na noite seguinte a esse drama, Marcus não aparecera, não escrevera. Somente no outro dia mandara um bilhete rápido:

"Estarei contigo para sempre, minha querida, não temas, confia em mim" — dizia ele, por intermédio do namorado de Matilde.

Na manhã do terceiro dia, Andrea recebeu este ultimato:

---
[38] KARDEC, Allan. *O evangelho segundo o espiritismo*, cap. 7, it. 11.

"Esta noite, no local combinado. Estou louco de saudades. Amo-te acima de tudo. Preciso falar-te urgentemente. Se não vieres, irei à tua casa, falarei a teu pai."

Andrea, porém, não pensava em Marcus, não ansiava por ele, nem desejava sua presença e, mais do que nunca, sentia que o não amava e que arrefecera em seu ser o capricho que por ele tivera. Sentia era horror de si mesma e não compreendia como se confiara tanto àquele aventureiro. Não saía de seus aposentos, negava-se aos alimentos e crises violentas de choro a sacudiam dia e noite. Sentia-se enferma, revoltada contra si mesma e contra tudo, e não sabia, agora, como continuar a viver. Como confiar a seus pais, a seu irmão, a seu noivo, a Arthur, esse pobre amante silencioso e resignado, tão humilde e bom na sua desventura, o terrível acontecimento que a deprimia? Qual seria a reação da família, ferida no orgulho da própria honradez? Alexis seria capaz de compreendê-la e perdoar o seu deslize? Deslize que, em verdade, fora uma traição, pois, ela não o desejara? Certamente não, não poderia compreendê-la, não poderia perdoá-la. Seria, então, repudiada, humilhada, o noivado seria desfeito, quando já toda a família assinara o contrato oficial, dois anos antes? Que vergonha, então, não seria a sua? Amava Alexis, não obstante a conduta condenável, e como viveria sem ele? Que importava Marcus, se ela o não amava? E como se arrependia da leviandade praticada, incentivando-o a cortejá-la! Nunca pensara tanto no noivo, ansiosa por seu amor, como agora, que sentia que o perdera! Nunca suas forças mentais o buscaram tanto como naqueles três tenebrosos dias, em que recordava os menores detalhes da convivência com ele, sua fisionomia doce e bela, seus gestos, as menores palavras de amor que ele lhe dirigira, sua terna afeição por ela, sua nobreza, sua honradez! Como pudera esquecê-lo, a ponto de deixar-se vencer por outro homem? E nunca pudera supor que Marcus, um fidalgo de boas tradições, chegasse a ser tão vil! Não seria essa desgraça promovida por aquele inimigo invisível que desde a infância a torturava? E como receberia Alexis a notícia de que ela, sua noiva, pertencera a outro, traíra-o em sua ausência? Decerto que sofreria o insulto, odiá-la-ia pelo perjúrio, fugiria dela, casar-se-ia com outra, nunca mais o veria, nunca mais!

Em vão, Arthur dirigia-lhe fraternas palavras, insistindo para que ela confidenciasse com ele, abrindo o coração para que ele a ajudasse. Em vão, o paciente Victor suplicava-lhe o mesmo, falava-lhe de Deus, da necessidade de renovar-se, procurando elevar-se ao Alto nas asas da fé, na confiança na paternal misericórdia do Todo-Poderoso, desejoso de pô-la em confissão, pois compreendia que algo de muito grave se passava com ela. Em vão, Matilde desdobrava-se em cuidados, certa de que Marcus não era estranho ao estado desolador da jovem ama. Andrea continuava vencida por torturante amargura, debulhando-se em lágrimas a cada instante. E no íntimo do seu coração a ideia sinistra já se esboçava, como semente funesta lançada, pelo obsessor, no terreno fértil das suas inconsequências:

— Se não houver outro remédio, matar-me-ei!

Não pensou em Marcus senão para odiá-lo, não tratou de raciocinar que, antes de tudo isso, fora pedida em casamento por ele, e que, portanto, somente nele encontraria ainda possibilidades de ser feliz.

E o pensamento atroz sugestionando-a, perturbando-a, desorientando-a:

— Se não houver outro remédio, matar-me-ei!

"Mas..." — voltava ela a raciocinar sensatamente, como se em seu íntimo correntes opostas de pensamento colidissem — "morrer tão jovem, quando sentia nas veias palpitarem as fontes da vida e no coração o desejo ardente de amar e ser amada, e ânsias de inefáveis venturas se acumulavam em suas aspirações? Morrer quando suas bodas se achavam tão próximas e perspectivas de céus fagueiros aguardavam sua vida conjugal? Matar-se, arrancar-se da ternura da família, tão respeitável, para dar-se à morte, mergulhar no olvido, desaparecer, nada mais ser, reverter ao pó, converter-se em mera recordação, cada vez mais esfumada, no coração daqueles a quem tanto queria? Pensava e sentia como materialista que era, e, então, crises de choro, ataques de nervos e gritos dolorosos a acometiam, revolucionando a casa, desolando os pais, decepcionando o irmão que a quisera libertar dos próprios males e fora incompreendido."

Encontrava-se Andrea nesse estado moral doloroso quando Matilde, furtivamente, entregou-lhe a segunda carta de Villiers, julgando que a missiva a beneficiasse:

"Esta noite, no local combinado. Estou louco de saudades. Amo-te acima de tudo. Preciso falar-te urgentemente. Se não vieres, irei à tua casa, falarei a teu pai."

Essa carta traumatizou-a, prostrou-a. Precisava refletir. A presença de Marcus, sua confissão a seu pai seriam, para ela, um insulto. Temeu um duelo. Temeu que corresse o sangue de seu pai ou de seu irmão. Seria preciso, portanto, atender Villiers. Dominou-se, dormiu sono reparador durante parte do dia. Alimentou-se. Estava melhor. Matilde exultava, certa de que *mademoiselle* amava Marcus, e não Alexis. Victor e Arthur respiraram. A condessa Françoise pôs-se a orar, agradecendo ao Céu as melhoras da filha. Quanto ao conde Joseph Hugo, tudo ignorava.

Andrea encontrou-se à hora precisa sob a latada de rosas. Encontrou-se outra vez... e mais outra... e mais outra... Sofria terrível pressão de Marcus, que continuava confessando-se apaixonado.

E três meses se passaram assim.

Enquanto isso se desenrolava em torno da menina de Guzman, o senhor de Saint-Patrice ultimava preparativos para o casamento. Sentia-se não amado, apesar dos acontecimentos, e isso o irritava, excitando-o ainda mais. Mas também pensava em que o amor viria mais tarde, por meio das atenções com que tencionava ofuscá-la. Nada faltava, portanto, para o ardoroso conde receber a esposa. Nada escapara à sagacidade daquele que desejava impor-se pelo fastígio e a fascinação. Ademais, certo de que se casaria, realmente, com Andrea, Marcus não queria que as cerimônias sofressem delongas e preparara tudo a tempo, para que nada ficasse a desejar na ocasião precisa.

Todavia, os dias se passavam e nada indicava que em Saint-Omer se pensava numa aliança com ele. Andrea resistia, nada querendo confessar sequer à sua criada. Villiers, repetindo os encontros clandestinos com a infeliz menina, expunha-se propositadamente, na esperança de ser descoberto, sem jamais pensar na possibilidade de uma reação severa de parte dos de Guzman. Esperava, portanto, diariamente, cartas ou chamamentos desesperados da seduzida, pedidos de explicações pelos de Guzman, e até mesmo pelo noivo ultrajado. No entanto, três longos meses se escoaram sem que nenhuma ocorrência alterasse a situação.

Naquela noite, porém, a última em que se encontraram a sós, foram descobertos.

Havia bastantes dias, Jacques Blondet ficava intrigado ao ver o senhor de Villiers, à tarde, passeando pelas estradas de Saint-Omer e, mais, surpreendia-se com a presença constante de um serviçal de Saint-Patrice nos pátios de Saint-Omer, em palestras furtivas com Matilde. Com delicadeza e simplicidade, indagou da serva o que desejava do castelo aquele visitante tão assíduo. Ela respondeu rapidamente, meio assustadiça, sem, contudo, convencer o inquiridor:

— Ele nada deseja do castelo. É uma visita particular. Trata-se apenas do meu namorado.

Jacques pareceu conformar-se, mas pôs-se a observar. Não devemos esquecer que Jacques amava Andrea em segredo e que tudo quanto se referisse a ela era, para ele, sumamente importante. Chegava a sentir ciúmes da menina e, se se resignava a contemplar o seu noivado com Alexis, o mesmo não aconteceria com outro qualquer que a requestasse. Fora dos primeiros a perceber o interesse de Marcus pela jovem, embora longe estivesse de supor que esse interesse chegasse ao ponto a que chegara. Ora, com as grandes melhoras na saúde de Andrea, notara ele que sua amada abandonara o hábito de perambular pelas ruas do parque durante a noite. Abandonara, portanto, ele também, o hábito de sair à noite, a fim de vigiá-la em silêncio, sem que ninguém o soubesse, e ela ainda menos. Naquele dia, porém, revendo o criado de Saint-Patrice a conversar com Matilde, postou-se a observá-los de longe e, em dado momento, surpreendeu o jovem serviçal entregando à criada de Andrea um objeto branco, semelhante a um envelope, a uma carta. Interpelou-a mais tarde:

— Que te entregou o emissário de Saint-Patrice? Um presente?

— Sim, ele deu-me um presente. É o meu namorado.

— Parecia uma carta...

— Carta? Estais louco, senhor mordomo? Por que haveria ele de dar-me uma carta, se conversava comigo? Era um lenço dobrado, para eu usar à cabeça...

Matilde perturbara-se e Jacques Blondet o notara. Fez, porém, que aceitara a explicação, mas ficou alerta, observando tudo que se pudesse relacionar a Andrea, a Marcus e a Matilde.

Ao escurecer desse dia, notou que o conde cavalgava em terrenos de Saint-Omer, o que não era aceitável, e que ia e vinha como quem observa. À noite, depois que soara o silêncio, desceu para o parque e postou-se em observação. Um pressentimento alarmante, aflitivo, perturbava-o profundamente, sem, contudo, definir-se. Vagou durante longo tempo pelas alamedas silenciosas, na expectativa de que algo encontraria que o levaria a Andrea. Sua vigilância não foi vã. Ele ouvira, subitamente, vozes abafadas, como murmúrios de quem receia ser descoberto. Parou e orientou-se, ocultando-se quanto pôde, e observando. A custo descobriu na escuridão o esconderijo dos amantes. Lá estavam eles: reconheceu Andrea, reconheceu Marcus e inteirou-se do que se passava. É inútil descrever a dor, o desapontamento, a indignação, a repulsa do pobre homem pelo acontecimento descoberto, quando *mademoiselle*, em seu coração, era o anjo de luz que embalava seus sonhos de moço. Rendia-lhe ele uma veneração mística, sabendo-a inatingível, e em sua alma depositava seu nobre amor como um tesouro de ternura que dulcificaria sua vida inteira. Mas eis que, de repente, esse anjo transforma-se em mulher vulgar, dá-se a um amante ao relento, com uma facilidade capaz de fazer corar a última lavadeira dos pátios de Saint-Omer. Seria verdade, então, que *mademoiselle* era uma semilouca, como dela diziam? Seria verdade que ela arrastava em seu encalço um demônio invisível, um Espírito das trevas, que a desejaria desgraçar, como ouvira ele de Arthur, numa hora de desabafo? Por que ali, sob a latada de rosas, debulhava-se em pranto e pedia ao amante que a deixasse em paz, que não a torturasse tanto? Que significariam aqueles encontros altas horas da noite, quando ela era a prometida de um homem bom e nobre, que todos sabiam ser grandemente amado por ela, senão que Andrea era tresloucada, perseguida por demônios? Pois, se assim não fosse, ela seria nada mais, nada menos que um monstro, e ao seu coração repugnava aceitá-la como monstruosa.

Ali, imóvel, no seu esconderijo, esforçando-se por não se denunciar, viu as horas passarem. Viu, depois, Andrea conduzida por Villiers até a porta lateral dos aposentos da família, por onde ela entrou naturalmente, sem nenhum receio aparente. Andrea teria, forçosamente, um cúmplice para essas escapadas noturnas, e este só poderia ser Matilde. Teve ímpetos de saltar sobre o sedutor, estrangulá-lo, matá-lo. Mas e depois? Quem era ele, pobre Jacques, para uma desforra de tal nível, que caberia ao chefe da família, e não ao mordomo da casa?

Deteve-se e meditou.

Meditou até a tarde do dia seguinte, quando viu Arthur sentado na cadeira de rodas, em sua sala de estar.

Jacques e Arthur davam-se bem. Frequentemente o mordomo levava-o a passear, empurrando-lhe a cadeira, pelo parque ou pela estrada nobre, que conduzia à ribanceira do mar. Ali sentavam-se e conversavam longamente. Durante o serão, jogavam juntos o xadrez, as cartas, para que o aleijado se distraísse, e depositavam ambos confiança recíproca nos próprios corações.

Descobrindo o segredo de Andrea, Jacques nem por um momento pensou em revelá-lo ao senhor de Guzman. Sabia que não tinha direito para chegar a tão respeitável personagem e dizer-lhe:

— Descobri que vossa filha entretém amores pecaminosos com o senhor de Villiers...

Pensou, sim, em Victor, que era popular e compreensivo. A coragem, porém, faltou-lhe do mesmo modo. Victor era tão respeitável! Talvez mesmo muito mais do que o próprio pai! Não existiam intimidades entre ele e o herdeiro de Guzman como havia entre ele e Arthur, não obstante dispensasse ao visconde a maior consideração. Mas, nessa tarde, vendo Arthur a ler, sozinho, em sua sala de estar, chegou-se a ele e disse-lhe, abaixando a voz:

— Se me permitis, senhor, declaro-vos que necessito falar-vos urgentemente.

— Estou às suas ordens, Jacques Blondet. De que se trata?

— Senhor, é grave, muito grave o que tenho a dizer, e com antecedência rogo o vosso perdão, se o que eu disser tiver a infelicidade de desagradar-vos... pois sei que terá.

— Diga o que for necessário, Jacques, encontro-me preparado para tudo.

Jacques, então, firmemente, narrou a Arthur suas observações de há muito, os últimos acontecimentos envolvendo Matilde e, finalmente, a descoberta que fizera na noite anterior. E concluiu:

O drama da Bretanha

— Se quiserdes observar, senhor, mandai pessoas da vossa confiança averiguar, já que o não podeis fazer pessoalmente. Há novo encontro marcado para de ontem a quatro dias. O senhor de Saint-Patrice ameaça *mademoiselle* de revelar tudo ao senhor conde, seu pai, se ela o não atender.

Arthur não pronunciou uma única palavra. Ouviu tudo em silêncio. Também ele de há muito observara entendimentos entre a prima e Marcus, pelo que deu crédito à narração de Jacques. Agradeceu a este o seu interesse, rogou-lhe que não esmorecesse na fiscalização e pôs-se a meditar. Seu sofrimento era imenso. Além do martírio de amar com um amor impossível, a constatação dolorosa da queda moral daquela a quem rendia um culto de veneração silenciosa, a certeza de que fora por ela esquecido na sua desventura. E, para cúmulo do seu desgosto, eis que Andrea se fizera perjura, atraiçoava toda a família, infamava o noivo, desconsiderava a si própria, dando-se ao desfrute de um homem que nada mais era senão um aventureiro. Reconhecendo-se incapaz de qualquer atitude a favor da prima, e vendo que ela precisava urgentemente de auxílio, mandou um emissário a Victor, que continuava no seu nobre ministério a favor dos pequeninos e humildes, pedindo que o visitasse em seus aposentos, e narrou-lhe o que ouvira de Jacques. Este foi chamado e repetiu diante de Victor o que dissera a Arthur. Matilde, também chamada a prestar esclarecimentos, temeu represálias e facilmente esclareceu tudo.

Profundamente desgostoso e preocupado, Victor despediu Matilde, agradecendo e rogando-lhe guardasse segredo da ocorrência, e, depois, virando-se para Arthur, cujas lágrimas corriam silenciosamente pelas faces, disse, como falando consigo mesmo:

— Preciso ouvir Andrea, a fim de me inteirar até onde chegam, realmente, as suas relações com o conde de Villiers. Preciso obter a sua confissão, para depois agir em seu próprio benefício.

— Que pretendes fazer, Victor? — inquiriu o triste Arthur. — Um duelo?

— Ouvi-la primeiro. Depois, a ser real o relatório de Jacques, participar ao senhor conde o acontecimento e comunicar a Alexis que sua palavra sobre Andrea de Guzman é devolvida. E, finalmente, pedir satisfações a Villiers, pela sedução de minha pobre irmã.

11

OS NOIVOS

[...] Quis Deus que os seres se unissem não só pelos laços da carne, mas também pelos da alma, a fim de que a afeição mútua dos esposos se lhes transmitisse aos filhos e que fossem dois, e não um somente, a amá-los, a cuidar deles e a fazê-los progredir.[39]

Marshal entrara no gabinete de leitura onde o amo se entretinha com os jornais recentemente chegados da capital, com a familiaridade peculiar aos servos de confiança. Alegre, desde que também vira o amo jubiloso, a ele se dirigiu, esfregando prazenteiramente as mãos:

— Senhor conde, tenho a honra de anunciar-vos que esperam por vós dois visitantes, os quais, estou certo, vos cumularão de prazer...

— E como serão essas visitas, meu caro Marshal? Alguma dama gentil que me honra com um pedido de casamento? — perguntou Villiers, sem se voltar e continuando a leitura, com as pernas apoiadas nos rebordos da mesa.

---

[39] KARDEC, Allan. *O evangelho segundo o espiritismo*, cap. 22, it. 3.

— Deve ser quase isso, meu senhor, quase isso, justamente. Mas não se trata de nenhuma dama. São dois ilustres fidalgos: o senhor conde Joseph Hugo de Guzman d'Albret e seu filho, o visconde Victor de Guzman.

Num salto, Marcus já se achava de pé, alisando os trajos e os cabelos. Súbita palidez cobriu suas faces, indicando ao criado que se emocionara, não obstante esperar essa visita ansiosamente, e talvez por isso mesmo. Aquela visita era altamente significativa para quem, como ele, nutria razões para recear o seu desfecho. Contudo, fez um esforço para acalmar-se e ordenou ao serviçal:

— Conduza-me para onde se acham.

— O mordomo levou-os para o salão de honra, senhor.

Alguns momentos depois, e após o anúncio do mordomo, que escolhera para o momento o mais solene tom de voz, o sedutor de Andrea defrontava-se com o pai e o irmão de sua vítima.

Num instante ele observara a fisionomia de ambos, e a severidade de uma e a gravidade da outra indicaram-lhe que o raio que ele próprio atirara ferira, certamente, o alvo. Recuperara, porém, a calma e, fiel aos princípios de hospitalidade, convidara os dois fidalgos a tomarem assento e a aceitarem dos licores que um servo acabara de trazer.

— Obrigado, senhor conde — falou o velho fidalgo —, mas prefiro tratar convosco mesmo de pé.

Sua voz era breve e levemente trêmula, denotando impaciência e indignação a custo contidas.

— Como quiserdes, senhor, estou às vossas ordens.

O drama da Bretanha

Hugo de Guzman, após curtos instantes, virou-se para Marcus e exclamou no tom de dignidade que lhe era peculiar:

— Estou certo, senhor de Villiers, que não vos é surpresa esta visita: já a esperáveis...

— Os meus amigos são sempre esperados em minha casa, senhor conde, a qual se honra com a presença de todos eles, principalmente se se particulariza grande estima como a que me felicito por dispensar a vós e aos vossos ilustres descendentes. Sede bem-vindos, senhores!

Estava comovido, mas Joseph Hugo dir-se-ia não o notar. Continuou, portanto, sem manifestar agradecimentos pelo cumprimento:

— Senhor de Villiers, não tenho a honra de procurar-vos neste momento senão no intuito de declarar-vos que me apresento a fim de pedir-vos explicações de fatos que reputo de suma importância para a minha e a vossa honra de fidalgos...

Marcus cumprimentou com uma vênia, sem nada dizer. Seu interlocutor continuou, com uma serenidade talvez sopitada a custo, mas que não excluía a dignidade de que se achava investido:

— Senhor conde, rogo-vos que expliqueis vossas ações a respeito de minha filha, *mademoiselle* de Guzman.

Marcus reanimou-se. Ele vibrou como se naquele momento as cordas de sua vida se distendessem num hausto de triunfo. Suas faces se alteraram quase jubilosamente. Sua atitude tornou-se quase humilde. Sua voz tornou-se comovida, enquanto ele falou, em tom baixo:

— Ó, senhor de Guzman, por Deus, rogo-vos que me compreendais. Sim, dar-vos-ei as explicações necessárias. Sim, eu vos esperava e se não vos procurei ainda foi porque me proibistes voltar a

Saint-Omer, desde que vos pedi a mão de *mademoiselle*. Senhor, eu amava... eu amo *mademoiselle* de Guzman. Não pude fugir ao arrebatamento que me assaltou... Tive razões para acreditar-me amado. Ofereci-lhe meu nome, minha fortuna. Vossa filha desprezou-me depois de fornecer-me gratas esperanças. Sofri, senhor, e num momento de loucura e paixão...

— Não quero discutir os vossos sentimentos, senhor conde de Villiers... E lamento que tivésseis esquecido tanto a honra a ponto de levardes o ultraje ao meu nome na pessoa de minha filha. Sabei, porém, que eu não vos procuraria em vossa casa jamais, se não acabasse de ser constatado que minha filha vai ser mãe e que sois vós o responsável por essa desdita que desonra a família. Rogo-vos, pois, que me deis sem demora as mais cabais explicações, ou será preciso que um de nós dois pereça no campo de honra?

Então, Marcus de Villiers, comovido, surpreendido com a notícia de que seria pai, inclinou-se respeitosamente diante daquele pai sofredor que acabava de falar, humilhando-se, e exclamou:

— Senhor conde de Guzman, tenho a honra de pedir a mão de vossa filha, *mademoiselle* de Guzman.

Houve um momento de silêncio, durante o qual dir-se-ia que o olhar de Victor, que ainda não pronunciara sequer uma palavra, devorava Marcus. A satisfação exigida pelo fidalgo ultrajado estava dada. O sedutor nada mais desejava senão tornar-se esposo.

— Senhor de Villiers — voltou a falar o velho conde —, vejo que compreendestes a delicadeza da situação e congratulo-me comigo mesmo pela paz com que a resolvemos. Concedo o pedido que acabais de fazer, pois minha filha não poderá discernir por si mesma, conta apenas 17 anos... Espero-vos de hoje a oito dias em nossa casa de Saint-Omer, a fim de que se assinem as escrituras de contrato, e isso, senhor, porque desejo que a cerimônia do vosso consórcio com minha filha se realize dentro de quinze dias.

— Outro também não é o meu desejo, senhor conde, amo *mademoiselle*... Não faltarei. Entretanto, rogo-vos permissão para ainda hoje cumprimentar minha noiva.

Joseph Hugo consultou com rápido olhar a Victor, seu filho, como se quisesse pedir opinião sobre a pretensão de Marcus. Compreenderam-se, certamente, porque o pai respondeu:

— Minha filha está enferma, senhor, é possível que não vos possa receber hoje. No entanto, de hoje em diante sereis bem-vindo a Saint-Omer.

Cumprimentaram-se com cerimônia. Era evidente que os de Saint-Omer só com repugnância aceitavam tal aliança e que para eles Marcus não passava de um traidor. Mas a honra de Andrea achava-se nas mãos daquele homem e impunha-se o sacrifício de arredar Alexis e receber Marcus na família.

De Villiers, entretanto, compreendera o sentimento dos dois fidalgos e, calcando revoltas, cumprimentou-os com idêntica deferência, esforçando-se por parecer amável. Acompanhou-os até a carruagem e depois que os vira partir ficou a contemplar a nuvem de pó que o veículo deixava, com olhar pensativo e despeitado. Depois do que, entrou para o seu escritório, mandou chamar o intendente, fez correios especiais para o seu tabelião e o seu banqueiro de Paris e entrou a trabalhar, organizando papéis.

À proporção que se aproximava o momento de se dirigir a Saint-Omer, a fim de visitar Andrea, porém, sua agitação crescia. Como o receberia ela? Aceitaria com satisfação o matrimônio com ele, ao menos com gratidão? A lembrança de que seria pai, de que já era pai, notícia que Andrea omitira, deixava-o comovido, alvoroçava-o. Se ainda não fosse amado, como desejaria ser, a existência do entezinho entrevisto seria uma garantia para tornar-se amado muito breve, pela mãe. E mil projetos felizes tecia em mente, para garantir a felicidade que desejava desfrutar, completamente alheado do fato de que destruía, assim, a felicidade de Alexis e da própria Andrea, que jamais se cansara de afirmar que era ao noivo que amava. Em tais disposições, jantou superficialmente, preparou-se e dirigiu-se a Saint-Omer, sem perceber que não fora convidado a jantar com a noiva no primeiro dia de noivado.

* * *

Com efeito, tal como prometera a Arthur, Victor visitara Andrea em seus aposentos e a pusera em confissão. Não foi sem grande esforço e habilidade que o filósofo espiritualista conseguiu da irmã a confirmação dos relatos de Jacques Blondet. A princípio a pobre jovem tudo negara. Envergonhada, deprimida, aterrorizada, arrependida da facilidade incompreensível que a levara a submeter-se aos desejos de Villiers, ela apresentava-se abatida e exangue ao irmão, soluçante, assaltada por crise de pranto que compungiam Victor e eram, ao mesmo tempo, outras tantas confissões da realidade ocorrida. Mas o médico espiritualista era paciente. Com solicitude, impôs confiança à irmã, além de prometer-lhe todo o seu apoio. Garantiu-lhe a estima e a consideração de Arthur, que era seu incondicional amigo e ternamente a amava, com devoção e espírito de sacrifício. Prometeu-lhe a proteção de seu pai, que saberia compreender a necessidade de defendê-la contra quaisquer eventualidades menos boas. E, assim consolada, a infeliz, menosprezada pela mãe, confiou ao irmão o drama que vivia, sem nada omitir. E terminou, em lágrimas:

— Victor, meu irmão! Eu amo Alexis, não amo o senhor de Villiers, embora também o não detestasse senão agora, depois desses ingratos acontecimentos. Não tive intenção de errar, não desejei errar. Fui impelida ao erro por uma força inimiga que, ao se apossar de mim, horrorizava-me, porque me dominava e absorvia, tolhendo-me a vontade. Que

O drama da Bretanha

fazer agora, meu Deus, que fazer? Alexis terá de ser sabedor do que a mim sucedeu. Perdoar-me-á ele? Sim, ele é bom, perdoará. Narrar-lhe-ei o que a ti estou narrando, ele não quererá a minha desgraça, saberá compreender-me e nosso matrimônio será realizado.

Victor era médico. Examinara conscienciosamente a irmã. Constatara que ela seria mãe e por isso respondeu:

— Será preciso que abandones a ilusão que tenhas a tal respeito, minha Andrea, e encares a realidade, para que não sofras em demasia. É preciso esquecer Alexis e amar Villiers que, agora, é o único a ter direitos sobre ti. Havemos de nos entender com ele. Suponho que ele te ama, pois chegou a pedir-te em casamento. Serás mãe e ele é o pai do teu filho. É preciso aceitá-lo e diligenciar para ser feliz com ele...

— Victor! — contradisse ela com energia. — Eu prefiro a morte a unir-me ao homem que me desgraçou.

No entanto, Victor já se retirava, não prestou grande atenção ao protesto da infeliz que lá ficava, sobre o leito, desfeita em pranto de amargo arrependimento.

Dali saindo, o moço filósofo dirigiu-se ao gabinete de seu pai e pediu-lhe uma entrevista. Com habilidade e admirável respeito, pô-lo a par da situação. O velho fidalgo ouviu o terrível relatório dignamente, sem um aparte, sem um gesto de condenação. Apenas a palidez de suas faces e as expressões dos seus olhos revelavam a profundidade da dor e da revolta que a ocorrência lhe causava. Durante três horas pai e filho conversaram, examinaram a situação, deliberaram sobre o que havia a fazer. Naquela noite cearam em silêncio. Todavia, na manhã seguinte, conforme já sabemos, visitaram Marcus e o consórcio entre as duas famílias ficara definitivamente resolvido, não obstante a necessidade de ouvirem Alexis e da reunião do conselho de família, como era tradicional entre os de Guzman, havia seis séculos. Seria, sim, indispensável um conselho de família, uma reunião em que as testemunhas do primeiro noivado de Andrea, de dois anos antes, estivessem presentes, a fim de serem informadas do acontecimento que fazia os de Guzman faltarem com a palavra para com os d'Evreux. Conservador e formalista, o velho conde fez correios para todos os parentes presentes ao compromisso firmado entre Andrea e Alexis, solicitando-lhes a presença urgente em Saint-Omer.

Por essa época, um noivado era um compromisso de honra, e raramente seria desfeito, e somente por motivos muito graves, resultando, frequentemente, o rompimento em duelos e dramas não raramente sangrentos. Fez, ainda, malgrado a própria repugnância, um correio especial ao sobrinho, em Paris, solicitando sua presença urgente em Saint-Omer. Desejava prepará-lo para o golpe que sofreria, antes da reunião da família. O senhor de Guzman, porém, tomando providências para salvaguardar a honra da família, não visitou a filha em seus aposentos, não desejou vê-la, não a consolou, a despeito dos rogos de Victor para que a ela concedesse uma caridosa assistência moral. Simplesmente desprezou-a. Por sua vez, a condessa Françoise, que nunca encobrira a aversão que pela filha nutria, agora, banhada em lágrimas, confessava seu horror a ela e se envergonhava de ser sua mãe. Victor fazia, então, as vezes de pai devotado e de mãe consoladora, enquanto o velho e conservador fidalgo repetia ao filho acabrunhado:

— Farei tudo para restituir-lhe a honra e preservar o bom nome de nossa família. É o meu dever de chefe. Nada mais poderei fazer.

Entretanto, ao anoitecer, Marcus de Villiers, fiel aos próprios desejos e ao velho cavalheirismo que a permanência em ardentes terras americanas não lograra sufocar, Marcus chegara a Saint-Omer no intuito de visitar a noiva. Victor, embora não apoiasse a pretensão, convencera a irmã, pessoalmente, a recebê-lo. Joseph Hugo, Arthur e a condessa Françoise Marie, porém, em protesto aos acontecimentos, furtaram-se à presença do visitante, o primeiro ferido e humilhado na própria honra, o segundo oprimido pela decepção, a terceira abatida pela própria revolta.

O drama da Bretanha

A instâncias de Victor, Andrea consentira em rever aquele que era o pai de seu filho, recebendo-o na sua sala particular de visitas.

Como sempre, carregando a própria displicência, Villiers, uma vez a sós com sua prometida, toma-a nos braços com demonstrações de ardente ternura, enquanto a jovem, desvencilhando-se das cadeias que a tolhiam, exclama, num acento de dor e de revolta contraproducente:

— Ó, senhor de Villiers, não contente com o ter-me desgraçado, ainda tentais enlouquecer-me visitando-me em minha casa e expondo-me a essa vergonha diante de meu pai e de meu irmão? Por Deus, senhor, retirai-vos! Deixai-me entregue ao desespero que cavastes para minha vida, porque ele me é mais confortador do que a vossa presença. Ide, senhor, ide! Poupai-me a vergonha de vos tornar a ver em meu caminho.

Marcus envolveu-a novamente nos braços, arrebatado, de certo modo irritado:

— Estás louca, porventura, menina caprichosa? E como ousas tratar-me dessa forma? Não dizias tantos insultos quando me aceitavas em nossos encontros no parque... Ignoras que tenho direitos sobre ti, que és minha noiva, que sou o pai de teu filho, que a honra de nossas famílias ordena que me desposes em breves dias? Andrea, por Deus, acalma-te! Ouve-me: perdoa o ocorrido... arrependo-me, minha querida! Mas eu te amava, amo-te, e não podia perder-te. Seria preciso prender-te a mim... Tens sido cruel e eu tudo suporto porque és uma criança inconsequente e mal-educada por teus pais. Vamos, ouve-me: reflete melhor na situação. Eu, senhor dela, tudo suporto, humilho-me. É preciso que reconheças que sou o único a amar-te. Alexis esquece-te no fundo desta província solitária, sem nada tentar para abreviar a realização do projetado matrimônio. Teus pais desinteressam-se de ti, deixando-te entregue a ti mesma. Só possuis, em verdade, em tua família, a piedade de teu irmão e as lágrimas de um inválido. Alexis vem sendo demasiadamente passivo, como se apenas o dever de obedecer o impelisse ao casamento contigo, ao passo que eu me deixei ficar em Saint-Patrice para não me separar de ti. Faze por esquecê-lo e amar-me, porque, agora, somente eu poderei dar-te felicidade.

— Esquecê-lo, quando era ele o meu sonho de felicidade, o amparo que alentou meu coração infeliz desde a infância? Não, senhor conde, jamais poderei esquecer esse amigo modelar. Morrerei, estou certa, já que o senhor a isso me obriga, mas ser esposa de outro homem, nunca!

Marcus ria-se desabridamente, como se mofasse da veemência amorosa daquela que seria sua esposa, enquanto respondia:

— Não queres ser minha esposa, mas como consentiste em ser minha amante? Esqueces que vais ser mãe, que já és mãe, desgraçada, e que sou eu o pai de teu filho? Andrea! Andrea! Toma cuidado! Volta a ti! Não tentes esgotar-me a paciência! Falo-te com amor e brandura e há uma hora que me insultas. Oh, era preciso mesmo que eu te amasse muito e me apiedasse de ti para ouvir-te sem exasperar-me. Fui, talvez, infame. Mas não procuro conservar-te, elevar-te como esposa e minha condessa? Não ofereço a ti o coração, a par dos meus haveres? Esqueces que eu poderia abandonar-te e ao nosso filho, e a estas horas estar em Paris, no estrangeiro, mas que, no entanto, procuro-te, humilho-me, rogando amor, e que, agora, sou o único a ter direitos sobre ti? Confia em mim, minha querida, eu saberei tornar-te feliz. E quando chegar o nosso filho... tu mesma te sentirás a mulher mais feliz deste mundo...

Ela não respondeu. Vencida pela fadiga nervosa e as emoções, reclinou-se nas almofadas do canapé, onde ambos se sentavam, e cerrou os olhos. Marcus tomou de suas mãos e as reteve entre as suas, com uma paciência de que antes não se julgaria capaz. Victor chegou. Pôs-se a conversar naturalmente com ele, estabelecendo programação para o casamento, que deveria ser o mais simples possível, pois o senhor de Guzman não desejava envolver-se no desagradável acontecimento.

12

O CONSELHO DE FAMÍLIA

Ó espíritas! Compreendei o grande papel da Humanidade; compreendei que, quando produzis um corpo, a alma que nele encarna vem do espaço para progredir; inteirai-vos dos vossos deveres e ponde todo o vosso amor em aproximar de Deus essa alma; tal a missão que vos está confiada e cuja recompensa recebereis, se fielmente a cumprirdes. Os vossos cuidados e a educação que lhe dareis auxiliarão o seu aperfeiçoamento e o seu bem-estar futuro. Lembrai-vos de que a cada pai e a cada mãe perguntará Deus: que fizestes do filho confiado à vossa guarda? Se por culpa vossa ele se conservou atrasado, tereis como castigo vê-lo entre os Espíritos sofredores, quando de vós dependia que fosse ditoso.[40]

É tempo de conhecermos melhor o jovem prometido de Andrea, Alexis de Guzman d'Evreux.

Era ele desses temperamentos dóceis, dedicado às causas mais nobres e generosas que um cérebro da época poderia conceber: o culto ao Deus verdadeiro, o respeito à pátria, à religião e à família; o amor ao bem, às reivindicações sociais por meios lógicos e pacíficos, a piedade

---
[40] KARDEC, Allan. *O evangelho segundo o espiritismo*, cap. 24, it. 9.

e o auxílio ao sofredor em geral. Portador de uma sensibilidade toda especial, delicado de caráter, incapaz de uma ação menos boa, era no evangelho cristão que Alexis sorvia as instruções que assim o reeducavam. Ele era bem a reencarnação daquele príncipe Frederico de G. do século XVI, já, então, dedicado ao Evangelho, e daquele Louis de Stainesbourg do século XVII, nossos conhecidos de referências anteriores. Porém, acima de tudo, Alexis era crente em Deus, religioso e sinceramente dedicado às coisas divinas e ao cultivo dos dons do espírito. Conforme não ignoramos, possuía grande vocação para a vida religiosa e desde a primeira juventude desejara a carreira do sacerdócio. O mundo, com suas brutalidades e barbárie, fizera dele um triste, inconformado com as asperezas sociais. Dedicar-se ao culto das escrituras santas, dar-se inteiramente às obras beneméritas apontadas nos Evangelhos de Jesus Cristo, seguir as pegadas de Francisco de Assis e Vicente de Paulo eram o sonho mais grato do seu coração ansioso por expandir-se intensamente em haustos de Amor Divino. Mas Andrea aparecera, bela e lirial qual visão celeste, sofredora e infeliz, requerendo dos corações piedosos da família amparo e proteção. Ele, então, amou-a com ternura por assim dizer espiritual, não propriamente humana. Amou-a, talvez, recordando, nos refolhos do seu ser moral, o grande amor que lhe havia dedicado em duas precedentes existências, talvez por vê-la, tão jovem e tão bela, atormentada pela desgraça indefinível de um mal psíquico que desafiava os recursos da Ciência para ser combatido. A família em peso compreendeu e aprovou a inclinação amorosa dos dois jovens primos. Andrea, coração amoroso, caráter feminino na mais forte expressão do termo, correspondeu ao primo com veemência. Promessas de venturas sublimes raiaram no horizonte ideal do jovem Alexis e, então, as inclinações religiosas cederam lugar aos anseios amorosos, a Igreja foi esquecida sob o intenso fulgor do amor de Andrea, enquanto rumos novos se delinearam em sua mente. O Evangelho de Jesus Cristo, porém, as inefáveis falas do Sermão da Montanha, os convites sublimes do Nazareno para a reeducação dos costumes pessoais, os doces murmúrios impelindo os bons à prática do amor sem máculas, esses, ficaram em seu ser tal a sentinela fiel, para um padrão de vida moral segura e benemerente. Alexis era, portanto, o tipo ideal do jovem moralizado e digno, religioso sem ser fanático, filósofo e responsável, e, se se demorava a contrair núpcias com sua noiva era porque fora deliberado entre as famílias, déspotas bem-intencionadas, que o enlace só se realizaria ao atingirem, ele, os 21 anos, e ela, os 18.

Periodicamente visitava a família na solidão da Bretanha. Seus afazeres e estudos, suas viagens continuadas, a serviço da carreira profissional escolhida, e as ordens de seu severo tio, o senhor de Guzman, impediam que as visitas a Andrea fossem mais frequentes. Ora, fora a esse homem digno, a esse jovem exemplar e respeitável, que Andrea de Guzman e Marcus de Villiers feriram com uma abominável traição.

***

Alexis encontrava-se em sua residência de Paris quando o correio de Saint-Omer se apresentou, rogando ao criado de quarto que o introduzisse até onde se encontrava o destinatário da correspondência que trazia. Havia já cerca de dois meses que o moço não recebia notícias da família e, em verdade, começava a preocupar-se, quando o correio especial lhe entregou a carta do velho conde Joseph Hugo. A missiva era lacônica e dizia somente:

"Senhor conde, meu caro Alexis. Peço virdes à nossa casa de Saint-Omer com a máxima urgência. Precisamos de vossa presença. É inadiável. Esperamo-vos, pois."

Na mesma tarde o moço fidalgo preparou-se e na manhã seguinte pôs-se a caminho, ansioso por esclarecer a razão de um chamamento tão urgente quanto lacônico. Interrogara do correio, porém, mau grado seu:

— Acha-se alguém doente, em Saint-Omer?

— Ouvi dizer, senhor, que *mademoiselle* Andrea tem estado enferma.

Alexis nada mais perguntou, pois era preciso guardar conveniências diante de um serviçal. Entretanto, angustiou-se, pois não ignorava os males que afligiam sua prometida, mas nem sequer por um momento imaginara que o chamamento do tio traduzia um desfecho infeliz para os seus sonhos de amor.

Entrementes, a notícia da presença de Alexis, que teria feito Andrea exultar de alegria três meses antes, agora deixou-a sucumbida de angústia e vergonha, pela realidade vivida. A infeliz, quantos mais dias se passavam, aproximando o momento em que tudo seria esclarecido perante a família reunida, mais profunda sentia a desventura que a envolvia, menos se habituava à ideia de ter de renunciar a Alexis para aceitar Marcus, mais se horrorizava de si mesma, temendo o futuro e até a presença dos seus tão caros familiares, como se todos a esmagassem com o peso de terríveis acusações. Alexis chegara, finalmente, acabrunhando-se com a confirmação da notícia de uma grave enfermidade na pessoa da sua tão cara prometida. Andrea negava-se a vê-lo e permanecia reclusa nos próprios aposentos, vencida por crises violentas de desespero e lágrimas. Sem saber o que tentar para se aproximar da noiva, já no dia imediato ao da sua chegada pediu explicações à condessa Françoise Marie, mãe de Andrea. Esta, porém, discreta e temerosa, respondeu-lhe com evasivas, limitando-se a pedir-lhe que aguardasse os esclarecimentos que o velho conde lhe daria.

— Andrea, certamente, já não me quer, senhora! — respondera o moço à tia. — Nem sequer me permite cumprimentá-la, para inteirar-me do seu estado de saúde. Ai de mim! Meus esforços, minha dedicação foram vãos! A distância, a longa espera para o nosso casamento apagaram a chama do amor que ela sempre afirmou nutrir por mim. Como recompensa da minha lealdade, sou ferido com a ingratidão.

— Não, meu filho, não é bem isso — repeliu tristemente a condessa —, Andrea ama-te, eu te afirmo. Mas é uma enferma, uma criatura difícil de compreender-se...

— Que se passa então, minha querida tia?

— Passam-se coisas nesta casa que eu mesma não posso explicar como e por que acontecem... Mas peço-te aguardar a reunião com teu tio; nada poderei adiantar.

Muito inquieto e enervado por pressentimentos sombrios, Alexis retirou-se da presença de Françoise Marie e, procurando o tio, pediu-lhe licença e exclamou:

— Senhor, vejo que graves acontecimentos se passaram em minha ausência. Andrea recebe-me mal, recusa-se a falar-me, nega-se a receber minha visita. Observo ares contrafeitos em vossos semblantes. Victor evita-me. Arthur chora se me aproximo dele. Sou convidado a comparecer precipitadamente à vossa presença e vós não me explicais a razão por que me chamastes. Algo de anormal se passa, envolvendo-me em suas malhas. A apreensão angustia-me. Rogo-vos useis de franqueza para comigo. Estou às vossas ordens.

O velho conde levantou-se da poltrona onde se sentava e pôs-se a passear pelo aposento, mastigando o charuto, visivelmente constrangido. Dir-se-ia que não sabia como iniciar a conversação, a fim de participar ao sobrinho os tristes acontecimentos de Saint-Omer. Alexis esperava, de pé, consternado ao compreender que nada de bom os modos do tio auguravam.

De súbito, Joseph Hugo parou diante dele e falou indeciso e humilhado, mas tão rudemente que o jovem não pôde compreendê-lo no primeiro momento:

— Resignai-vos, senhor conde, se de fato amais vossa noiva. Confiai no vosso futuro, que vos será sempre propício, se sois crente em Deus. Acalmai-vos, se sois forte: Andrea já não será vossa esposa: Marcus de Villiers vo-la arrebatou.

— Como assim, senhor? Não vos compreendo...

— Compreendereis, meu caro Alexis, quando eu vos declarar que sou um homem humilhado, um fidalgo desconsiderado, um pai infamado. Compreendereis se eu vos afirmar que Andrea não atraiçoou somente ao seu prometido, mas também a seus pais, a seu nobre irmão, a toda a sua família, que carrega nos brasões seis séculos de honra e nobreza...

— Senhor, por Deus, que quereis aventar?

— Compreendereis se eu vos participar que Andrea deixou-se engodar por um sedutor, comprometeu-se com ele, espera um filho e, em vez de casar-se convosco, casar-se-á com aquele que, agora, é o único a ter direitos sobre ela.

Seguiram-se alguns minutos de silêncio. Alexis sentou-se vagarosamente numa poltrona. Estava estarrecido de surpresa, e sua palidez era visível. O velho conde continuou de pé, em frente dele.

— E foi por isso que me mandastes chamar, senhor? — falou ele, a custo.

— Sim, meu filho.

— Que quereis que eu faça?

— Sinceramente, desejo que estabeleçais entre vós e ela a barreira do esquecimento, o consolo do olvido. Restituo, cheio de pesar, a palavra empenhada comigo por vosso pai, desde a primeira juventude, e isso mesmo proclamarei à frente de todos, durante o conselho de família que acabei de convocar para esta semana ainda. Andrea jamais vos mereceu, senhor d'Evreux! Doente e atormentada por demônios, não era mulher para concretizar os vossos alevantados ideais. E, enquanto vivíeis atarefado em Paris, preparando-lhe um futuro de delícias, vossa noiva divertia-se passeando pelos bosques com o nosso vizinho de Saint-Patrice...

— Basta, meu tio! Não quero saber mais! Lembrai-vos, porém, de que Andrea é uma criança, que não recebeu a educação necessária a evitar deslizes, é enferma e, acima de tudo, é vossa filha e está ausente; não pode defender-se aqui, neste momento.

— Convoquei o conselho de família e farei o que vós outros determinardes sobre ela. O senhor de Villiers foi cavalheiro: pediu sua mão de esposa quando o procurei para pedir-lhe explicações sobre o ocorrido. Aceitei a solicitação, coagido por Victor, que tenta tudo harmonizar...

— E ele faz bem, senhor.

— Mas não vacilarei em retirar a minha palavra empenhada com ele se o conselho assim determinar. Minha opinião sincera seria que, após o nascimento da criança, ela fosse internada num convento para sempre, como punição do seu crime.

— Seria desumano, senhor!

As lágrimas corriam silenciosas dos olhos de Alexis, sem que uma única expressão de revolta as acompanhasse; vagarosamente, prosseguiu, num tom que seria antes um murmúrio de dor:

— Infame ou não, infeliz ou enferma, Deus é testemunha de que eu a desposaria e adotaria o seu filho, se o sedutor a abandonasse...

— ...E ficai certo, meu filho, de que, para vós, foi melhor que ela demonstrasse agora do que é capaz, e não depois de realizadas as vossas bodas...

Falou e saiu sucumbido, deixando o sobrinho a sós consigo mesmo.

Alexis então compreendeu por que Andrea lhe fugia.

* * *

Já se havia apresentado em Saint-Omer a parentela aristocrata, testemunha do contrato nupcial de Andrea e Alexis naquela noite de Natal de 1804.

A jovem sentia-se sucumbida com a perspectiva da vergonha e das humilhações que sofreria ante aquela assembleia de austeros senhores que deveriam julgá-la e decidir do seu destino. À pobre criatura não era nem mesmo permitido o reconforto de se refugiar nos braços de sua mãe, ouvir-lhe os conselhos, aliviar-se sob a proteção de sua piedade maternal. Françoise Marie sentia aversão pela filha infeliz, ao passo que Joseph Hugo, senhor e chefe, mais do que um verdadeiro pai, proibira a esposa de visitar a filha que, para ele, nada mais era do que a ré a quem todos os castigos seriam devidos. Da mesma forma, escravizada aos preconceitos comuns à época e, acima de tudo, contaminada pelas férreas concepções que na Espanha existiam quanto à conduta de uma jovem, a condessa Françoise repudiou a filha infeliz, ao inteirar-se da sua ligação clandestina com um estranho, e foi incapaz de procurar um meio de se aproximar da reclusa para suavizar-lhe os sofrimentos. Somente Victor amparava a irmã, com desvelos paternais. Permitia, mau grado seu, que Marcus de Villiers visitasse a noiva, fazendo-o penetrar no Palácio por entradas pertencentes aos seus próprios aposentos particulares. Arthur não abandonava a cabeceira da prima, desdobrando-se em ternuras e cuidados, a fim de encorajá-la para o futuro que deveria palmilhar. E Matilde era a irmã solícita, que se desdobrava em zelos de uma fidelidade tocante. Por tudo isso, Andrea, se se via repudiada pelos pais, que não lhe perdoavam a falta cometida, sentia-se rodeada de corações amorosos que outra coisa não desejavam senão minorar os seus sofrimentos.

Victor e Arthur, porém, haviam discutido longamente com o velho conde a respeito da inconveniência daquele conselho de família, humilhante para Andrea. Mas o preconceituoso aristocrata nada admitia além dos próprios raciocínios:

— Dir-se-ia que me censurais, senhor, por me verdes cumprir um dever tradicional em nossa família — replicava ele ao filho, depois de ouvir os arrazoados deste em favor da irmã. — Sabei que vos considero bastante, como filho exemplar que sois, não, porém, ao ponto de, já com a cabeça coberta de cãs, abandonar os honestos princípios, em que fui educado, pela teoria dos filósofos modernos, que pretendem corrigir, mediante a persuasão, delinquentes a quem nem as galés domariam.

— Contudo, meu pai, suponho bastante justo o que pleiteio para minha pobre irmã. Não podeis acusar-me de não a ter podido reeducar no exíguo espaço de dois anos, conforme pretendi. Se a educação de Andrea me fora confiada desde sua infância, afianço-vos que suas condições morais hoje seriam outras. As doutrinas espiritualistas que professo parecem-me bem mais humanas e justas do que os tradicionais preceitos de nossos avós, que excluem a bondade e a persuasão e prescrevem a severidade e o rigor nos casos como o que vivemos, nos quais mais eficientes seriam o amparo fraterno e a caridade consoladora.

— Falais, Victor, como adepto que sois de filosofias transcendentes de correntes orientais. Mas essas convicções são meras teorias contemplativas, sem aplicação na sociedade intensa e positiva em que vivemos...

— Essa filosofia, senhor, a doutrina espiritualista que tenho a honra de professar, penetra os corações e os conquista, pois traz o cunho da lógica e do esplendor dos fatos racionais. Daqui a um século, meu pai, já não consistirá apenas numa teoria neste mundo ocidental, materialista e intenso, mas será a prática, será a verdade revelada pela explosão do mundo espiritual, que anseia entender-se com os homens. E estes a receberão sedentos, pois os homens nada mais desejam senão encontrar Deus pelas sendas da lógica e de uma fé apoiada na realidade dos fatos ditos transcendentais. Bem vedes, senhor, que mais sedutoras não poderão ser as perspectivas da minha crença filosófica, cujo humanitário lema é: Liberdade, Igualdade, Fraternidade — e em cujo nome desejo arrancar minha pobre irmã do rigor que a poderá desesperar, na situação precária em que se encontra. Destes vossa palavra a Villiers, que a deseja desposar. Para que, pois, esse conselho? Em nome do amor e da piedade, rogo-vos, meu pai, que suspendais o conselho.

O senhor de Guzman levantou-se da sua poltrona predileta e abandonou a sala, sem responder ao moço filósofo.

* * *

Pouco a pouco, os membros da família, que haviam aquiescido ao chamamento do conde — e eles eram todos aqueles que tinham assistido ao noivado de dois anos antes —, encheram a sala onde se realizaria o conselho. Sentado em sua cadeira de rodas, Arthur esforçava-se por manter-se sereno, comprimindo as lágrimas que teimavam em turvar-lhe os olhos. Victor mantinha-se silencioso e de cenho carregado, enquanto os demais circunstantes refletiam no semblante a surpresa que tal reunião lhes causava.

Entrementes, o senhor de Guzman, servindo-se da gravidade das maneiras aristocráticas que teimava em conservar, tomara assento no lugar de honra, pois presidiria a cerimônia. A condessa Françoise Marie sentava-se à sua esquerda; Victor à direita; Alexis junto à condessa, Arthur ao lado de Victor: eram as personagens mais diretamente atingidas pelo erro da ré, que seria ali debatido. Havia uma cadeira fronteira a essa tribuna, sobre um estrado, à espera de Andrea, que permanecia ausente. Dir-se-ia aquilo uma solenidade medieval, quando o condestável, senhor e déspota, arrogava-se o direito de juiz, para punir a delinquência em seus domínios.

Pesado silêncio envolvia o ambiente, que apenas era iluminado por um único lustre pendente do teto e cujas paredes, guarnecidas de quadros de grossas molduras de ouro, retratavam a magnificência dos antepassados da família. Anoitecera, e lá fora o vento soprava com insistência, sibilando por entre o arvoredo e através das persianas fechadas, enquanto mais longe o oceano, em arremessos furiosos, parecia blasfemar contra suas prisões eternas, que o retinham num leito que ele quisera despedaçar, para tragar o mundo. Com voz pausada e grave, como seria a de um juiz, o senhor de Saint-Omer falou, em meio ao silêncio da assistência:

— *Mademoiselle* de Guzman d'Albret tarda em apresentar-se. Há um quarto de hora que a aguardamos...

Virou-se para o filho e prosseguiu:

— Senhor visconde de Guzman, rogo-vos mandar prevenir vossa irmã de que a esperamos para dar início aos nossos trabalhos.

— Minha irmã encontra-se enferma, senhor. Rogo-vos que a dispenseis.

Joseph Rugo levantou-se e, com autoridade, bradou, ao mesmo tempo que Alexis e Arthur faziam um gesto em apoio à súplica do médico filósofo:

— Fazei o que ordeno, senhor visconde! Não só não dispenso a presença de *mademoiselle* de Guzman como ainda a exijo imediatamente nesta assembleia.

— Afianço-vos, sob minha honra de médico, que *mademoiselle* sofre e não se encontra em condições de deixar o leito, senhor!

— Senhor conde, suplico-vos, em nome da Humanidade, que dispenseis Andrea... — gemeu Arthur, esforçando-se por não se alterar.

— Sim, meu tio, senhor conde, suplico-vos que dispenseis Andrea — soluçou Alexis, dentro do inferno do seu amor traído.

Mas o severo patriarca nada respondeu. Alterando a etiqueta, as boas maneiras obrigatórias numa reunião daquele alcance, Hugo de

Guzman recuou a grande cadeira esculpida que ocupava e foi, ele próprio, em busca da ausente. A assistência levantou-se, não se permitindo continuar sentada quando o presidente do tribunal levantava-se, a exceção de Arthur, que não se podia locomover. Victor tentou correr em socorro da irmã, mas a senhora Françoise deteve-o:

— Não agraveis a situação, senhor! — exclamou ela. — Afianço-vos que esta reunião não nos trará consequências desagradáveis. Conheço a intenção do senhor conde, que apenas deseja comunicar o rompimento de um noivado e a contratação de outro. Ele devia essa satisfação aos nossos caros familiares.

— Lamento, minha tia — interveio Alexis, cortando a réplica de Victor —, lamento que tivésseis consentido numa cena destas, que me despedaça o coração.

— Coragem, Alexis! Eu não a poderia evitar. És jovem, o futuro compensar-te-á de tudo o que hoje te fazem sofrer.

— E eu digo que tudo isso me enfurece e que, se eu não fora o desgraçado que sou, Andrea não sofreria o que está sofrendo — cortou o aleijado, demonstrando revolta.

Mas não pôde concluir o pensamento. Passos abafados fizeram-se ouvir no aposento próximo, por onde desaparecera Joseph Hugo. Soluços incontidos, de envolta com palavras breves, proferidas em tom áspero, feriram a audição dos circunstantes. Todos, a um mesmo tempo, dirigiram o olhar surpreso para a porta de ingresso à sala. Os reposteiros se agitaram, abertos por um serviçal... e a figura atormentada de Andrea surgiu na sala, impelida por seu pai, que a trouxera à força e a sustentava por um braço, arrastando-a mais que amparando-a.

— Andrea, minha pobre irmã! — exclamou Victor, levantando-se e correndo para a jovem, penalizado diante da humilhação que a via sofrer.

— Andrea! — murmurou Alexis lívido, vendo-a pela primeira vez desde que chegara a Saint-Omer, surpreendido com a transformação daquela que, agora, dir-se-ia pálida sombra do passado.

— Andrea! — sussurrou o paralítico, a custo contendo a revolta que o oprimia.

Cuidadosamente, Victor fez sentar a irmã no lugar devido, alisou-lhe os cabelos ruivos e sedosos, confortou-a, reanimou-a, quando a assistência comentava os acontecimentos em voz discreta. Os gêmeos quedavam-se fascinados pela aparição do objeto dos seus cuidados e não retiravam dela os olhos cheios de ternura e piedade. A senhora Françoise Marie, porém, soberbamente postada em sua cátedra, parecera não ter notado a presença da filha.

Andrea permanecia de olhos baixos, não se atrevendo a levantá-los para ninguém. Tiritava de febre nervosa e sofrimento moral. Parecia à pobre obsidiada que fora colhida nas malhas de um pesadelo. Aquela reunião, a presença de Alexis, a cena que ali se passaria, tendo-a como ré de um crime, sua vergonha, sua desgraça ali narrada diante de todos, diante de Alexis e dela própria, eram a degradação suprema para o seu sentimento, a humilhação sem precedentes para o seu frágil caráter, alquebrado e inconsolável. Por um momento, pensou em Marcus, sempre atencioso para com ela, apesar da vileza cometida, e desejou que ele ali surgisse de um momento para outro, dissolvendo o tribunal desumano com suas displicências de aventureiro bom. Desejou que ele a levasse, a escondesse consigo, libertando-a daquele opróbrio. Mas Villiers não apareceu até o final da cerimônia, não fora convidado a assisti-la, ignorava essa ocorrência e ela lamentava a sua ausência, já que todos ali presentes deixavam-na entregue à sanha de um juiz implacável. Por sua vez, Alexis sentia a alma dilacerada por um turbilhão de amarguras. Não pudera rever a noiva tão querida sem se emocionar violentamente. Não podia perdoar à Andrea a grave traição que ela lhe infligira. Mas, ao mesmo tempo, sentia que lhe seria quiçá impossível viver sem ela e que o grande amor que desde a infância lhe votava teimava em se impor no íntimo do seu coração, a despeito das revoltas que o oprimiam.

Subitamente, a voz austera de Joseph Hugo de Guzman feriu o ambiente e, qual majestade do alto de um trono, começou, dando início ao tradicional conselho, usado em sua família desde o século XIII, sempre que circunstâncias graves o exigissem:

— Lamento, senhores, que circunstâncias dolorosas quanto imprevistas me levassem a convocar-vos para esta reunião, tão penosa para os meus brios de fidalgo como o será para os vossos, quando vos inteirardes do assunto que a motivou...

O velho conde interrompeu-se. O silêncio era religioso, apenas alterado pelos soluços da antiga noiva de Alexis.

Joseph Hugo prosseguiu:

— Senhores! E vós especialmente, senhor conde Alexis d'Evreux! Pesa-me profundamente declarar-vos que circunstâncias imprevistas, como há pouco afiancei, levam-me à necessidade de desobrigar-me para convosco de minha palavra, a qual vos havia dado há dois anos, de uma aliança matrimonial entre nossas famílias de Guzman d'Albret e de Guzman d'Evreux...

— Ó, meu pai, por piedade, deixai-me sair daqui ou matai-me, antes que me obrigueis a ouvir-vos! — bradou Andrea, no auge do exaspero nervoso.

Hugo, porém, não respondeu. Limitou-se a agitar a campainha, pedindo silêncio, e a cravar os olhos naquela que falara promovendo escândalo, e em seu irmão, que tentara socorrê-la.

— Sabeis que os mais ardentes sonhos do meu coração, bem como os de nosso amado irmão conde d'Evreux, que Deus guarde em seu Reino, eram ver nossos filhos Andrea e Alexis perpetuando, num matrimônio, os nomes dos nossos avós, ligados sempre, em várias gerações, pelos laços de afeição profunda. No entanto, devo uma explicação a todos vós e vo-la darei, não obstante proferir com ela minha própria condenação, ao confessar, diante de vós, a desonra do meu nome e a vergonha que no momento pesa sobre minha casa...

— Senhor! — bradou, num impulso incontrolável, o jovem conde d'Evreux, causando protestos entre os ouvintes. — Suplico-vos, por quem sois, que não prossigais. Estou certo de que nenhum de nós aqui presente exigirá quaisquer satisfações. Conhecemos a honradez da vossa casa e aceitamos vossa decisão, a despeito de explicações.

— Peço que não me interrompais, senhor conde. Eu me consideraria o último dos fidalgos se, ao desobrigar-me do compromisso para convosco, deixasse de prestar os esclarecimentos que convêm a um homem e a um fidalgo que acima da própria vida tem colocado o cumprimento do dever. Mas declaro-vos: tamanho desgosto me causa essa renúncia que, estou certo, não lhe sobreviverei por muito tempo. Senhores! O enlace matrimonial, que se deveria realizar entre minha filha Andrea de Guzman e o senhor conde d'Evreux, já não é mais possível. Um só homem hoje possui direitos sobre minha filha. Minha filha pertence-lhe porque se deu a ele voluntariamente, perjurando os deveres de donzela, de filha e de quase esposa de outro homem, nobre e honrado. Nosso nome, o nome venerado de nossos antepassados, encontra-se presentemente atirado ao escárnio, porque minha filha não soube conservá-lo impoluto como lho transmitimos de nossos pais. Hoje, só um homem, um único homem, hoje, pode retirá-lo do opróbrio e devolvê-lo nobre e digno, como sempre foi, à memória de nossos maiores. Em seis séculos de existência, a casa de Guzman, nos quatro cantos da Europa, jamais sofreu ultraje igual. Esse homem, senhores, é o conde Marcus de Villiers de Stainesbourg e Saint-Patrice, um falso amigo, um antigo estroina, a quem minha filha preferiu confiar-se, antes de confiar-se a vós, senhor d'Evreux, seu prometido perante nós e perante Deus. Há dias vi-me na necessidade de visitar o senhor de Villiers, a fim de pedir-lhe satisfações pela sedução de *mademoiselle* Andrea. Esperei que dessa visita resultasse um duelo, que seria o mais honroso para qualquer de nós. Mas, em vez disso, o senhor de Villiers pediu a mão de minha filha e eu lha concedi, sob a pressão de uma emoção mais forte e mais dolorosa...

— Oh, nunca, meu pai! Prefiro morrer! — exclamou a infeliz, sem saber o que dizia.

Seguiram-se murmúrios de aprovação e de desaprovação entre os assistentes, e Hugo prosseguiu:

— Deposito, porém, apesar disso, o destino de Andrea de Guzman em vossas mãos. Esta reunião é um conselho de família. Que mais convirá à minha filha: tornar-se condessa de Villiers de Saint-Patrice, pelo casamento que a traição promoveu, ou, depois do nascimento do seu filho — pois ela espera um filho —, entrar para um convento e tomar véus perpétuos? Vós deliberareis por votação. Quanto a mim, prefiro para ela a reclusão perpétua, não obstante a promessa feita ao conde de Villiers.

— Não, não! — bradou Andrea, vencida por um ataque de nervos — jamais me unirei a Marcus. Prefiro morrer! O vosso nome ser-vos-á devolvido intacto, senhor de Guzman!

Victor retirou-a do recinto desmaiada, e os circunstantes entraram em votação, deliberando sobre o seu destino.

13

NA HORA DO TESTEMUNHO

Pela prece, obtém o homem o concurso dos bons Espíritos que acorrem a sustentá-lo em suas boas resoluções e a inspirar--lhe ideias sãs. Ele adquire, desse modo, a força moral necessária a vencer as dificuldades e a volver ao caminho reto, se deste se afastou. Por esse meio, pode também desviar de si os males que atrairia pelas suas próprias faltas.[41]

A cerimônia da votação decorreu silenciosamente, e em perfeita disciplina. Os homens, ciosos do bom-nome de suas casas, patriarcas cujos costumes austeros desconheciam a tolerância a um erro, foram implacáveis para com a ré: optaram pela sua reclusão perpétua em um convento de religiosas penitentes e a entrega do filho a uma ama que, sob pagamento anual, se incumbisse de criá-lo clandestinamente. Dentre os varões jovens, porém, houve quem opinasse pela reparação pelas armas, entre o noivo ultrajado e o sedutor. No entanto, esses votos foram considerados nulos porque se tratava do destino de Andrea e de seu filho, e não do destino do seu sedutor, pois este estava pronto a reparar o mal que praticara, e além do mais o alvitre do duelo não fora apresentado em votação pelo promotor do conselho. Victor, Alexis e Arthur votaram pelo matrimônio da ré com o

---

[41] KARDEC, Allan. *O evangelho segundo o espiritismo*, cap. 27, it. 11.

seu sedutor, certos de que seria esse o dever a cumprir e que daí resultaria felicidade para aquela que lhes era tão querida. Dentre as mulheres, as matronas, inclusive a própria mãe de Andrea, foram de opinião que uma punição seria a melhor solução, mesmo como exemplo para as demais donzelas da família. Votaram, pois, pela reclusão religiosa, ao passo que o filho seria entregue ao pai. As jovens, no entanto, votaram pelo casamento com Marcus, desejosas de verem ainda feliz a prima, que muita piedade e simpatia lhes inspirava. Afinal — pensavam —, Marcus de Villiers era um fidalgo, amava Andrea e nada tinha de repugnante...

A maioria desse conselho era constituída de mulheres ainda jovens. Unidos os votos destas aos de Victor, de Alexis e de Arthur, o resultado foi favorável a Andrea, sendo ela absolvida e dando-se, portanto, ensejo para que a infeliz jovem pudesse conquistar um pouco de felicidade.

Joseph Hugo de Guzman conformou-se com o resultado, talvez contrafeito, talvez intimamente satisfeito, vendo horizontes mais desanuviados para a filha, a quem um mal compreendido dever de honra tentara condenar para sempre. E, agradecendo a presença dos convocados, concluiu ele a solenidade dizendo:

— Convido-vos, agora, a comparecerdes ao salão de honra amanhã, às duas horas da tarde, para que vos seja apresentado o senhor de Villiers, que fará parte de nossa família de agora em diante, e testemunhardes a assinatura das escrituras do contrato e doações à noiva. Nessa ocasião, serão marcados o dia e a hora dos esponsais, para os quais não haverá convites especiais nem solenidades festivas. A cerimônia se restringirá ao grupo familiar.

Virou-se para Alexis e exclamou, com voz embargada:

— Senhor d'Evreux, perdoai a retirada de minha palavra comprometida convosco. Bem vistes que outro recurso não havia para poder levantar à sua antiga altura o nome e a honra de nossos avós.

O drama da Bretanha

Alexis cumprimentou com uma vênia, visivelmente emocionado, mas sem nada responder. Em seguida, e antes que o grupo ali reunido se dissolvesse, pediu licença para se retirar e regressar a Paris na manhã seguinte, assim como dispensa de assistir à cerimônia do contrato de núpcias e do enlace, que seria realizado posteriormente. Custava-lhe enfrentar o rival, isto é, o homem que destruíra a sua felicidade. Compreendida a sua delicada situação, a pretensão do moço fidalgo obteve a aprovação de quantos o ouviram.

Retirou-se, pois, o jovem Alexis combalido e sofredor, e procurou os seus aposentos, onde iniciou os preparativos para a partida no dia seguinte, emitindo ordens para o apronto da carruagem bem cedo. Não havia, porém, sequer um quarto de hora que se encontrava em seus aposentos quando um serviçal entrou discretamente no quarto, apresentando-lhe uma salva de prata onde se via uma carta. Admirado, Alexis tomou da missiva e despediu o criado. Rasgou o envelope e constatou que a carta era de Andrea. Trêmulo, contrafeito, leu o que se segue, escrito em caligrafia quase ilegível, tão nervosa estivera a mão que a traçara:

"Se ainda resta em teu coração um pouco de piedade por mim, rogo-te que venhas falar-me, permitindo que me despeça de ti. Andrea."

Ele leu e releu aquele bilhete. Levantou-se, depois, amargurado e indeciso sobre o que deveria fazer, e saiu do aposento. Matilde surgiu à sua frente, pois aguardava-o num recanto sombrio da galeria:

— Tende a bondade de acompanhar-me, senhor. *Mademoiselle* espera-vos desfeita em lágrimas.

Deixou-se levar, caminhando quase maquinalmente para o local aonde era conduzido. E, subitamente, viu-se diante da antiga noiva, numa discreta sala que dois candelabros alumiavam fracamente. Seus olhos se cruzaram sem indecisão. Nenhum acanhamento de Andrea. Nenhum gesto magoado de Alexis.

— Aqui me tens, minha querida. Fala o que quiseres e confia em mim. Sou e serei teu amigo.

Num gesto incontrolável, atiraram-se nos braços um do outro, como esquecidos da catástrofe que caíra sobre eles.

— Alexis, meu pobre amigo de infância, meu irmão! Chamei-te para saber de tua própria voz se és capaz de perdoar-me a infâmia que cometi contra ti e nosso amor. Não me desculpo, não me justifico, nem mesmo consigo perdoar-me. Por que procedi assim? Não sei, Alexis, não sei! Eu não amo Villiers, nunca o amei, e não desejei atraiçoar-te. Uma loucura brutal acometeu-me e desgraçou-me, e hoje me desespero de remorsos por um crime que, em verdade, não desejei cometer. Amo-te, Alexis, mais do que nunca, e não posso viver sem teu amor. Fazes parte da minha vida, do meu ser. Estás em meu coração, em meu cérebro, em meu sangue, no palpitar de minha vida. Asseveraste sempre que me amavas. O amor tudo sabe perdoar e remediar. Compadece-te de mim, Alexis, reporta-te a Deus, tu, que és verdadeiro crente, e compreende, querido amigo, que não sou culpada, e sim desgraçada... E, se me amaste tanto no passado, ama-me ainda hoje. Perdoa-me, Alexis, e recebe-me por esposa como estava combinado, apesar da minha desventura. Não te arrependerás. Ainda é tempo de suplicarmos essa graça ao nosso conselho...

— Mas... Andrea! — replicou o moço consternado. — Amo-te sim, e serei sempre teu amigo. Mas o teu desejo, o nosso desejo, agora, é irrealizável. Vais ser mãe, pertences a outro que adquiriu direitos sobre ti, pela paternidade de teu filho. Ainda que me fosse possível esquecer a traição, nossa união não mais seria possível. Entre mim e ti existem, agora, a vontade contrária de nossa família, um homem que possui direitos sobre ti, o vulto inocente de uma criança que virá ao mundo. Sim, Andrea, amo-te, jamais olvidarei o nosso amor, mas não poderei casar-me contigo.

— Pois, se me amas, saberemos romper todos esses obstáculos...

— Não, Andrea, não! Casar-me contigo já não é possível. Perdoar-te, sim, perdoo-te diante de Deus, que eu venero.

— Não poderei viver sem ti, Alexis, prefiro a morte!

— Viverás sim, minha pobre amiga, e ainda serás feliz ao lado de teu esposo e com teu filho nos braços...

— Alexis! Alexis! Por Deus, não me abandones! Dize que me compreendes, que não me consideras culpada! Juro-te, meu Alexis, que não resistirei a essa desgraça. Não há felicidade sem ti, e mais depressa morrerei do que consentirei em desposar Villiers.

Falava por entre soluços, abraçada a ele, em grandes estremecimentos nervosos, entrechocando os dentes, não consentindo em apartar-se dele. E ele, aflito, amparava-a, falando-lhe carinhosamente, mas retemperado por uma vigilância, por uma força de vontade em resistir às suas súplicas que ele próprio não podia compreender como as conseguia.

Durante longo tempo assim discutiram, Alexis tentando acalmá-la, Andrea enervando-se cada vez mais, compreendendo-se repelida. Todavia, tal era o ardor, a veemência com que a jovem defendia a própria causa junto ao seu amado que Alexis, gradativamente, também se exaltava, sentindo ecoar no próprio ser todo aquele fervor com que a havia querido desde a adolescência.

De repente, porém, como se molas ocultas a impelissem, Andrea desligou-se dos braços do primo e, afastando-se, fitou-o com loucura na expressão e bradou estas impressionantes palavras:

— Perder-te? Viver sem ti? Unir-me para sempre a Villiers? Oh, cala-te, Alexis, cala-te, poupa-me ao menos a dor de ouvir-te aconselhar-me a tomar por esposo o homem que me desgraçou. Aconselha-me antes a morrer. Por que não me matas? Não, não creio no teu perdão. Morrerei, já que me abandonas.

— Afasta essas ideias que te deprimem, Andrea, acalma-te, minha querida! Sejamos bons irmãos para sempre, para sempre! O amor fraterno é também um seguro meio de eternizar um sentimento. Prometo-te fidelidade eterna, jamais contrairei matrimônio. Tu sabes que eu desejei seguir a vida religiosa. Pois bem, segui-la-ei agora. Mas, por Deus, acalma-te. Regressarei amanhã bem cedo a Paris. Deixa-me partir. Não, tu não procurarás morrer, porque isso é um crime e Deus...

— Não creio em Deus, desprezo-lhe a sabedoria. Tudo isso é ficção e engodo. Eu cria em ti, e uma vez que em ti também já não creio devo morrer.

Alexis sentiu-se enlouquecer. Procurava desvencilhar-se da prima, mas esta, nervosa e inconsolável, novamente agarrava-se a ele, sem consentir em libertá-lo. Ele já não podia raciocinar livremente, envolvido naquelas vibrações doentias, e lamentou a fraqueza que o fizera atender ao pedido da antiga prometida, indo vê-la em seus aposentos. Contudo, sentindo oprimir-lhe o cérebro uma vertigem de desalento, teve ainda serenidade para contestar:

— Não, minha querida, não! Deus impõe-te uma missão: a de ser esposa e mãe. Aceita-a e cumpre-a com devoção e respeito. Villiers ama-te, confia no futuro.

— Morrerei, Alexis, e tu morrerás comigo. Sim, tu morrerás comigo, porque nem na própria morte poderei ficar sem ti!

— Eu? Nunca! Oh, nunca tentarei contra a vida. E o dever sagrado que nos liga a nós próprios? E a promessa que a Deus fizemos, quando Ele nos lançou a este mundo, de conservarmos a existência por seu amor e para servi-lo? Nossa vida não nos pertence, Andrea, pertence a Deus, à nossa família, à sociedade, aos nossos deveres, ao destino glorioso para

O drama da Bretanha

o qual Deus nos criou. Oh! não me olhes com essa expressão alucinada! Ouve-me: és rica, bela, a dor que agora nos fere passará, e poderás ainda ser feliz. Não, por Deus, não me fales em morrermos juntos, eu não quero morrer, não quero matar-me!

Então, uma cena invisível a olhos materiais, mas brutal, desenrolou-se entre aquelas duas personagens que expiavam um grande erro cometido, no passado, contra um coração sincero que em ambos confiara com amor e devoção.

O odioso Espírito Arnold Numiers, o invisível perseguidor de Andrea, atraído, ainda uma vez, pelos pensamentos alucinados de sua inimiga, chegara até ali, vibrando todas as moléculas do seu ser em ondas opressoras. Contemplou, ali reunidas, abraçadas, alucinadas, as duas criaturas que resumiam o pesadelo de sua triste alma, a razão do ódio que o perdia para Deus: Andrea e Alexis, ou seja, aquela Berthe infiel, de Stainesbourg, e aquele Louis, falso amigo, irmão colaço, traidor e ingrato, assassinos, ambos, do seu pobre Henri, causadores do hediondo suicídio daquele filho que, agora, deformado, inválido numa cadeira de rodas, ali estava, bem perto, chorando, ainda e sempre, a tortura de amar sem ser devidamente amado.

Invisível, à espreita, aproximou-se e penetrou o salão ricamente ornado. Despejou sobre Andrea, que não oferecia resistência, seus funestos pensamentos tentadores. Sugeriu-lhe atrair Alexis a um suicídio duplo, com ela, Andrea, no qual se uniriam para um "eterno enlevo". Excitou-lhe o ciúme, dando-lhe a ver, em quadros imaginários, Alexis amando outra mulher e unindo-se a ela. Pintou-lhe, na mente exaltada, fantasiosas desgraças que a afligiriam sem o amor de Alexis. Fez com que ela exaltasse a paixão do pobre moço, seus anseios de amor, seus sentimentos viris, seus sentidos. Deu-lhe eloquência e veemência para convencê-lo de que era um desgraçado, que nada mais deveria tentar neste mundo, porque tudo ruíra à sua frente com o desenlace infeliz daquele noivado que tantas venturas prometera. E observava que Andrea, inteiramente passiva, era fiel às suas sugestões, firmando-se na ideia de suicídio e para este arrastando Alexis, cuja relutância à macabra solução era cada vez mais frágil, pois o moço fidalgo, sofredor, perdido de paixão e desesperança, deixava-se dominar pelas razões da jovem e já não sabia resistir às suas investidas senão com inexpressivos protestos.

E dizia o Espírito Arnold, bramindo em vibrações tempestuosas de uma inclemente revolta:

— Oh! vê-los precipitados acolá, no abismo em que precipitaram meu desgraçado filho! Vê-los condenados a uma eterna desgraça, como eu vejo meu filho estar, pela sua horrível morte de outrora! Vê-los malditos para sempre, uivando dores como os desgraçados rebelados que costumo contemplar junto de mim! Ah! vê-los definitivamente entregues a mim pelo suicídio, para, a meu gosto, e com toda a liberdade, saciar neles a minha revolta! Gozar o espetáculo dessa dupla morte, desse par, cheio de mocidade, torturado pelos pesadelos macabros que o suicídio produz, como meu filho também o foi! Eis a minha suprema, a minha primeira e única alegria desde que meu filho entrou a padecer por causa deles: matá-los por suas próprias mãos; possuí-los, depois, para torturá-los através do tempo; embebedar-me nessa alegria para que, um dia, se suavize a sede monstruosa que me requeima a alma, a sede desta vingança que ainda não foi saciada, apesar do tempo!

A tentação era, portanto, das mais atrozes. Não há inimigos, não há perseguidores terrenos que se equiparem ao inimigo de Além-Túmulo. Este é a corte do mal que sutilmente penetra até os meandros do nosso pensamento e o domina, anulando nossa vontade de reação; que se infiltra em nosso íntimo com suas vibrações causticantes e o conturba, habilmente servindo-se das afinidades que lhe fornecemos, das ocasiões que criamos, das fraquezas que pomos à mostra, das inferioridades que lhe servem de veículo, de todos os nossos pensamentos e ações inferiores que lhe escancarem as portas do nosso ser moral, para nos dominar e desgraçar a seu perfeito gosto.

O drama da Bretanha

Seria, pois, necessária a reação enérgica da vontade daquelas duas almas infelizes para que pudessem resistir ao tentador, opondo-se-lhe com uma decisão no sentido do bem, até a súplica veemente à misericórdia do Criador, como defesa suprema. Quer Andrea, quer Alexis, devedores do passado, eram chamados a dar um testemunho de virtude e fé naquele dia. A Lei Sábia, que determina os efeitos das causas, presidindo a harmonia da reparação de atos maus cometidos numa existência em existência posterior, exigia de um e de outro a prova decisiva, para vencerem o mal e prosseguirem demandando o bem pelas sendas futuras. Se Andrea, nesse dia, procurasse o auxílio da Providência por uma prece fervorosa, como tanto lhe aconselhara o irmão no espaço de dois anos, o auxílio viria em seu socorro e ela se libertaria do jugo que a desejava perder. E, da mesma forma, se Alexis reagisse à tentação que o assediava estaria salvo e daria o testemunho que a lei suprema dele exigia. Entretanto, exausto, vencido, mas sem verdadeira convicção íntima, Alexis, em dado momento, exclamou:

— Pois bem, não posso mais, não posso mais. Morramos juntos. Concordo contigo, seguir-te-ei na morte, não posso mais suportar minha situação de dor e vergonha. Morramos juntos e tudo se remediará. Morramos juntos!

Ela arrebatou-o para uma das janelas que ornamentavam a sala. Levantou os reposteiros, fê-lo debruçar-se sobre o largo peitoril e falou, a voz rouca e como que satânica, completamente possuída pelo obsessor:

— Ouves? Acolá, aquele rugido? É bem perto, meu bom Alexis. Perto e rápido. É o oceano que fala. Deixar-nos-emos rolar para ele, entre um beijo e uma despedida... e quando as vagas baterem novamente, de encontro à ribanceira, teremos deixado de sofrer...

Soava a meia-noite na velha torre de Saint-Omer quando *mademoiselle* entrou em seu quarto de dormir para repousar. A um canto, Matilde, companheira fiel, adormecera, cansada de esperar.

Andrea despiu-se sozinha e deitou-se, só então despertando a criada. Esta ofereceu-lhe um caldo quente, pois a menina não se alimentara naquele dia. Andrea recusou-o, pousou a cabeça nas almofadas e adormeceu sem delongas. Estava exausta.

Ficando só, Alexis pusera-se a refletir, mas não conseguia coordenar as ideias. Sentia-se trêmulo e atordoado, e violentas dores de cabeça o apoucavam, traduzindo insólito mal-estar em seu estado geral. A morte, realmente, aparecia-lhe como recurso único para solucionar a dramática situação que vivia com Andrea. Tudo ficara combinado para o meio-dia seguinte, quando soasse o toque para o almoço. Eles não deveriam aparecer à mesa, como já vinham fazendo. Andrea se desculparia com o estado da própria saúde, não obstante saber inevitável a presença de Marcus; Alexis, que já anunciara a própria partida, ocultar-se-ia para somente apresentar-se a ela no momento oportuno. Encontrar-se-iam na alameda nobre do parque e, enlaçados, caminhariam para o abismo, que não distava muito. Seria, portanto, um ato premeditado, refletido, que permitiria aos interessados ensejo para se deterem e evitar o terrível ato.

Entretanto, nos refolhos da alma, lá nos recessos do seu ser, a ideia do suicídio não se firmara em Alexis, não fora aceita. O seu eu superior rejeitava-a, abominava-a. As impressões exteriores, essas sim, foram violentadas e se curvavam à coação. Alexis encontrava-se no momento mais crítico de sua vida. Poder-se-ia dizer que o móvel do seu renascimento outro não fora senão aquele: renunciar e testemunhar força de vontade para resistir ao mal, pelos compromissos que trouxera ao reencarnar. Se resistisse à tentação, se fosse forte e atendesse à voz da consciência, que lhe murmurava o cumprimento do dever, então seria a glória de ter vencido a si próprio, para dar-se a Deus. Quando, em Flandres, nos fins do século XVII, existira sob o nome de Louis de Stainesbourg, dera causa ao suicídio de Henri Numiers, acumpliciado com Andrea, que então existira sob o nome de Berthe, servindo-se da traição a um irmão colaço e grande amigo. Agora, via-se colocado ante as consequências do antigo ato, a fim de vencê-las pela ação do livre-arbítrio. Era o testemunho que a lei dele exigia.

O pequeno salão de Andrea acabou por amedrontá-lo com suas grandes peças de mongol e a iluminação precária. A imagem formosa e branca da antiga prometida, com suas aflições e suas lágrimas, ainda palpitava pelo ambiente, esvoaçando numa onda de perfume. Subiu aos próprios aposentos, procurando repousar. Não pôde. Seu quarto pareceu-lhe um túmulo. Saiu novamente, sem destino. Na ampla galeria dos aposentos particulares da família, descobriu entreaberta a porta dos aposentos de Arthur, seu pobre gêmeo. Entrou. Ao pé do leito, velando com a doçura do amigo e o saber do médico, Victor esforçava-se em corrigir os distúrbios nervosos que desde cedo abateram o infeliz inválido. Terríveis convulsões epilépticas, provocadas pelas duras emoções sofridas durante o conselho de família, arremeteram sobre ele, prostrando-o num inferno de sofrimentos. Agora Arthur dormia sono agitado que pouco o confortaria. Alexis contemplou o gêmeo com angústia:

— Aqui, junto deste leito, velando o pobre enfermo, é que deve ser o teu lugar, e não tramando desatinos com Andrea. És tu, não Victor, que deves ampará-lo! — bradou-lhe a consciência; e estranha piedade pelo irmão confrangeu-lhe o coração.

— Ele está melhor, Victor? — interrogou afetuosamente.

— Pouco... Os choques foram muito intensos. Amanhã espero vê-lo melhor.

— Pobre Arthur! Pobre irmão! Ele também ama Andrea, Victor, e custa-lhe sofrer a situação irremediável. Que Deus se compadeça de nós...

Victor nada respondeu e ele saiu impressionado com a atmosfera dramática do aposento do irmão.

Dirigiu-se ao parque. A frialdade da noite reanimou-o. Respirou com força, passando com ardor as mãos pela cabeça. O instinto amoroso fê-lo encaminhar-se para o velho banco de mármore onde, nos dias felizes, conversava com a noiva, tecendo castelos de ventura. Sentou-se ali e pôs-se a refletir. Agora, sob a placidez da noite, dir-se-ia que os vapores condensados que tolhiam sua vontade iam, lentamente, se dissipando, libertando-o da opressão satânica criada por Andrea. Rememorou, sem o desejar, todos os principais lances de sua vida: órfão de mãe ao nascer, juntamente com seu gêmeo Arthur; criado pela avó materna, a bela e boa Louise de Guzman, e pelos tios de Guzman d'Albret; órfão de pai na adolescência, sua vida fora um traço de dissabores, não obstante a nobreza dos títulos e os bens de fortuna, e por isso bem cedo pensara em Deus e se tornara fervoroso crente. Reviu, em pensamento, as próprias investidas para atingir a vida religiosa, que parecia preencher o vazio que sua alma sofria; a oposição da família, que preferia vê-lo brilhar na sociedade; o amor de Andrea, que transformara suas aspirações, e agora... Arthur apareceu em seu pensamento como o pobre mártir a quem deveria socorrer, dedicando-se a ele como a um filho querido, carecedor de todo o amparo e do seu devotamento. O amor deste por Andrea, em vez de afastá-lo do gêmeo, aproximara-o ainda mais. Pouco lhe importava que Arthur o considerasse antes um rival. Singular piedade por aquele que não lograra ser amado e fora preterido pela família fazia-o porventura mais amigo do irmão. Por isso, do fundo da alma, perdoava-lhe as hostilidades: era enfermo e infeliz, e antes carecia de consolo e proteção.

Villiers, com sua traição, Andrea, com sua anormal personalidade, dançaram, depois, em sua mente, torturando-lhe o coração apreciações penosas. Viu-os unidos, meditou que se pertenceriam porque assim pareceu determinar o destino. Afigurou-se-lhe, de repente, hediondo crime arrebatar Andrea de Villiers; ela seria mãe de um filho dele, e como consentir ele, Alexis, em morrer com ela, matando-a e matando aquele ente que ela trazia em si, um filho do bom Deus, que tinha direitos a também existir sob a luz do sol?

Indescritível aflição o perturbou, e ele murmurou para si mesmo, na solidão do parque:

O drama da Bretanha

— Morrer? Matar-me? Ó, meu Deus, estarei louco? Como pude pensar semelhante horror? Por que prometi a Andrea que juntos morreríamos?

Estremeceu, então, ansioso, caindo em si e compreendendo a tentação. Penosa confusão de ideias tumultuou-lhe o cérebro. Enérgica, a consciência começava a reagir, reconhecendo o erro em que desejava precipitar-se.

— Não, meu Deus, é um crime! Socorrei-me, Senhor, salvai-me desta monstruosa tentação! Não, não devo morrer, não devo deixar que Andrea morra! Que fazer, meu Deus, que fazer para remediar esta situação?

— Servir a Deus! — murmurou-lhe a consciência. — Amar os que sofrem, proteger Arthur, a quem muito deves...

Sentiu que lágrimas ardentes corriam de seus olhos, banhando-lhe as faces. O vulto longínquo de seu mestre religioso, Henrique de Modena, de Madri, surgiu de suas lembranças e ele recordou a constante advertência que dele ouvia, nos distantes dias escolares:

— Nasceste para o sofrimento, Alexis d'Evreux, eu bem o sei. Mas lembra-te, meu filho, de que, sejam quais forem as amarguras e decepções que a vida te apresente, encontrarás consolo e forças aos pés de Jesus Cristo.

Então, ele caiu de joelhos junto daquele banco que fora testemunha dos seus sonhos de amor. Elevou, súplice, o coração para o Alto, para o Infinito, num gesto fervoroso de submissão ao Criador. Rogou ao Todo-Poderoso que se condoesse da sua miséria e o socorresse naquele momento de provação. Que o Céu o reanimasse, para que ele pudesse expulsar de si os ecos daquela tentação que o arrastava ao suicídio. Não, mil vezes não! Ele não desejava matar-se. No entanto, sentia-se impelido a esse crime por uma força mórbida que o enlouquecia.

A prece foi vibrante, arrancada da alma por um impulso humilde de fé e confiança. Suave sonolência como que o atingiu em seguida. Debruçou-se sobre o banco e, ajoelhado, ali permaneceu durante alguns minutos, ao passo que o sereno da madrugada orvalhava seus cabelos. E, em dado instante, sob a suave ação daquele estado insólito, eis que o doce contato de uma advertência espiritual repercutiu em sua consciência, qual intuição protetora:

— Volta para casa, meu filho, deita-te e dorme. E, acima de tudo, confia em Deus. E Deus será contigo.

Seria uma voz de Além-Túmulo? Era uma vibração, apenas. Mas, nessa vibração, Alexis reconheceu o tom vocal de sua avó, a dedicada mãe que ele conhecera.

Então, levantou-se lentamente e dirigiu-se para o palácio. Deitou-se sobre o leito, sem mesmo despir-se, e adormeceu profundamente, como se ação magnética benfazeja descesse em seu socorro.

Na velha torre de Saint-Omer soavam as três horas da madrugada. Entre as ramadas das antigas árvores do parque, os casais de pássaros ensaiavam as primeiras saudações ao novo dia, que não tardava a despontar.

14

UMA VIAGEM AO INFINITO

401. Durante o sono, a alma repousa como o corpo?

Não, o Espírito jamais está inativo. Durante o sono, afrouxam-se os laços que o prendem ao corpo e, não precisando este então da sua presença, ele se lança pelo espaço e entra em relação mais direta com os outros Espíritos.[42]

Andrea despertara cedo, após um sono estranhamente profundo e sem sonhos. Dir-se-ia um cadáver desperto, tão alquebrada e exausta se encontrava. Não falava, não chorava, não sorria. Os dentes cerrados, as mãos geladas, os belos olhos azuis fixados no vácuo bem atestavam a tempestade que a revolvia.

Naquele dia, ao almoço, o senhor de Villiers seria apresentado à família reunida, e a data do casamento anunciada, e ao mesmo tempo se realizaria a cerimônia das doações à noiva; como essas doações, ao que se sabia, seriam riquíssimas, a expectativa era grande no palácio, entre as mulheres, e houve até quem invejasse a sorte de Andrea, desposando tão interessante cavalheiro.

---
[42] KARDEC, Allan. *O livro dos espíritos*, 2ª pt. cap. 8, it. 401.

Matilde tentava arrancar alguma palavra de Andrea, mas ela parecia nada ouvir. Por isso, a fiel servidora concentrava-se na tarefa de aprontar a noiva o mais belamente possível.

Entretanto, nem a mãe e tampouco o pai, sequer uma tia ou uma prima, ou uma amiga que fosse, se dispuseram a visitar a infeliz jovem em seus aposentos, onde ela permanecia só com suas amarguras e com Matilde, desde a véspera. Arthur, preso ao leito, e Victor, preocupado com ele e com outras providências a respeito do casamento dela própria, não podiam acompanhá-la como de costume, senão vê-la rapidamente, ou perguntar por ela a Matilde, cujas atividades faziam-na transitar, de momento a momento, pelas salas e corredores.

Vendo que se aproximava a hora de Andrea descer para o salão e receber o noivo, sem que a jovem se decidisse a ataviar-se, Matilde pôs mãos à obra. Banhou-a, vestiu-a com um longo vestido de musselinas brancas, ao estilo dos vestidos da imperatriz Josefina, penteou, cuidadosamente, seus belos cabelos arruivados, amarrou-lhe à cinta bela faixa de seda, colocou-lhe nos ombros rica *écharpe* de rendas de seda e, depois, mostrando-a ao espelho, exclamou vitoriosa:

— Reparai, *mademoiselle*, como ficastes linda! O senhor de Villiers tornar-se-á ainda mais apaixonado a partir de hoje...

Todavia, sem mesmo olhar para o espelho, Andrea interrogou em voz soturna:

— O senhor conde d'Evreux já se teria levantado?

— Irei ver, *mademoiselle*.

Matilde saiu, intimamente a cogitar em como sua ama poderia pensar assim, no antigo noivo, quando se casaria com outro, e como teria podido entregar-se a esse outro quando fora prometida do primeiro...

Voltou, porém, em poucos minutos, com a notícia:

— O senhor conde d'Evreux ainda repousa, *mademoiselle*; seu criado comprometeu-se a avisar-nos quando o amo deixar os aposentos.

A jovem nada objetou. Limitou-se a ouvir o recado, com os olhos fitos na serva. Esta, ansiosa por comentar os acontecimentos do dia, começou a discorrer, quando consertava mais um cacho dos cabelos da ama ou ajeitava um detalhe das saias:

— Quê?! Ele é um noivo rico e pródigo como um príncipe! Chovem presentes para vós, *mademoiselle*, desde esta manhã. O seu intendente trouxe-vos, de parte do senhor conde, um esplêndido carregamento de linhos, rendas e sedas... e, como gentil lembrança do dia de hoje, um adereço de brilhantes. Georges, o criado do senhor d'Evreux, acabou de afiançar-me que o adereço é valioso, pois viu-o nas mãos do senhor Victor, quando espionava através das cortinas. Parece que o vosso prometido sofre com a frieza com que aqui é recebido. Apenas o senhor Victor faz-lhe a honra da casa. Georges ouviu-o queixar-se ao próprio senhor Victor. Por isso, apenas à hora do almoço será visto pelos convidados, isto é, seus novos parentes. As *demoiselles* estão ansiosas por vê-lo. Parece que sentem inveja do vosso casamento... *Mademoiselle* devia ir ao seu encontro, entretendo-o até...

— Matilde? — interrogou ela, com voz soturna, sem parecer tê-la ouvido.

— *Mademoiselle*...

— Sabes como passam os meus pais? E Arthur?

— Ah! vossos pais estão bem-dispostos. Passearam pelo parque a manhã toda, com os convidados. O senhor Arthur passou muito mal durante a noite, mas agora acha-se melhor. Está acamado e dorme.

— Pobre Arthur! Quisera poder vê-lo, Matilde.

Os aposentos de Arthur ficavam próximo aos dela, na mesma galeria. Matilde guiou-a. Ela entrou. Arthur dormia sob a ação de drogas benfazejas. Andrea curvou-se sobre ele e beijou-o no rosto repetidas vezes, com ternura infinita, enquanto Matilde percebeu que ela murmurava:

— Amo-te sim, Arthur, amei-te muito! Mas sou muito desgraçada para poder fazer alguém feliz. Perdoa-me!

Retornaram aos aposentos. Andrea retirou de um móvel um envelope fechado e entregou-o à boa serva:

— Entregarás isto a Arthur, Matilde, logo após o almoço, nunca antes, ouviste?

A criada tomou o envelope e guardou-o consigo, sem de nada desconfiar. No envelope, havia uma carta, que dizia assim:

"Arthur, querido e bom Arthur! Amo-te sim, e sempre te amei, mas sou muito desgraçada para continuar vivendo. Bendito sejas pelo teu grande amor por mim e pela atitude cavalheiresca com que me protegeste ontem, durante a humilhação daquele conselho, quando me senti acusada sem piedade. Choro sobre essa lembrança como choraria em teus braços, se ainda pudesse abraçar-te."

* * *

Algumas horas antes das cenas acima narradas, o jovem conde Alexis d'Evreux adormecera, depois de um dia e uma noite agitadíssimos, durante os quais vivera os mais dramáticos momentos de sua vida. Eram três horas da madrugada quando ele, caindo pesadamente sobre o leito, adormeceu profundamente, como se tocado por injunções hipnóticas.

O drama da Bretanha

Sabe-se que, muitas vezes, parcialmente emancipada do fardo carnal por um sono profundo, sono que poderá ser espontâneo, ou natural, ou provocado por ação hipnótica, provinda do mundo invisível, a alma dedicada e boa poder-se-á encontrar com as entidades espirituais suas protetoras, com aqueles a quem amou através de uma ou mais existências planetárias, com seus amigos e parentes com quem melhor se afinou na Terra e que partiram primeiro para o Além, e conviver com eles durante horas ou minutos, gozar de suas instruções e conselhos, banhar-se de inspirações felizes ou preparar-se para feitos significativos em sua vida: grandes resgates, necessários à sua honra espiritual, grandes provações, indispensáveis à paz futura de sua consciência, decisões inadiáveis, úteis ao seu progresso, ou missões que lhe aditarão méritos junto à Lei do Todo-Poderoso. Na maioria dos casos, ao despertar a alma desses sonos especiais, conserva apenas a impressão do que consigo se passou, impressão, ao mais das vezes, salutar, sentindo-se, então, reconfortada e fortalecida para aquilo que deverá realizar dentro de um breve tempo, tal seja o grau da sua sensibilidade, o poder da sua faculdade ou conforme as circunstâncias do delicado evento, que possam ou não permitir-lhe tais lembranças. Mas outras criaturas existem cuja emancipação, em determinados estados de sono, permite recordações dos fatos decorridos em sonho, recordações, senão integrais, pelo menos suficientemente objetivas para permitirem análises esclarecedoras e, frequentemente, até salvadoras.

Ora, Alexis d'Evreux possuía a faculdade de desprender-se do corpo físico e alçar-se a certas regiões do mundo invisível, durante o sono, o que bem poderíamos classificar como transe mediúnico. Naquela noite, mal se deixara cair no leito, vencido pelo sono, sentiu-se transportado a um local aprazível, a um recinto que lhe parecia familiar, onde se via amparado por entidades amorosas e protetoras, que imediatamente começaram a falar-lhe, reportando-se aos acontecimentos que o deprimiam. De novo, ele revê seu pai, de quem tantas saudades sentia, morto na Espanha durante o exílio, e sua mãe, que ele não conhecera na Terra, mas que reconhecia agora, no Além, a qual se apresentava em brancas cintilações de opala, coroada de rosas, chamando-lhe "filho querido de minha alma", e aquela santa mulher que o criara qual verdadeira mãe, que dele e de seu irmão fizera os caracteres probos que se prezavam de ser, Louise de Guzman, sua avó materna, jamais esquecida pelo seu coração. Todos o confortavam, chamando-o à razão pelo passo que, atraído por Andrea, pretendia dar, isto é, o suicídio, ato que seria a desgraça para ele, que ensaiava os primeiros passos no caminho da franca redenção espiritual. Seu pai, dentro da autoridade devida, que não perdera ainda, e animado de profundo amor para com o filho, apontava-lhe deveres sagrados para com a pátria, a sociedade, o próximo, e para com Deus. Fala-lhe de Arthur, o pobre irmão inválido, que necessita do seu amparo fraterno, pois ninguém mais, senão ele, teria condições de dedicar-lhe um pouco de amor que lhe suavizasse as amarguras. Fá-lo rever, como num livro ilustrado, o muito que ele próprio, Alexis, deve a Arthur:

"Em bem próxima existência passada, ele, Alexis, então irmão colaço e amigo de Arthur, o havia atraiçoado, roubando-lhe o amor da esposa e atirando-o ao desespero da desonra e da vergonha, o que resultou num suicídio cujas lamentáveis consequências eram hoje uma triste realidade bem conhecida: Arthur reencarnado, mas enfermo incurável, um aleijado, um anormal sem paz, sem alegrias, sem esperança. Ele, Alexis, causador daquela desgraça, agora era chamado à reparação do mal outrora praticado: devia amparar o irmão, consolá-lo, encaminhá-lo para Deus, dele fazer uma alma serena e resignada, cheia de fé e de esperanças, pois é de lei que aquele que causou o suicídio de outrem futuramente assuma a responsabilidade de protegê-lo e ajudá-lo a reerguer-se."

Por sua vez, Louise de Guzman leva-o a visitar os infelizes Espíritos que, como homens, a Deus haviam ofendido, cometendo o suicídio. São estes reunidos em falanges específicas, sofredores e atordoados, não completamente desprendidos do corpo somático, semimortos, semivivos, segundo a interpretação terrena, existindo na desesperação de pesadelos indizíveis, até que a causa de tão sinistro efeito seja exaurida por meio da reencarnação expiatória e do resgate honroso. Será, ainda, preciso a Alexis evitar que Andrea se precipite naquele abismo, e não morrer com ela, o que seria um crime duplo, ou melhor, um crime triplo, pois Andrea é mãe, já que palpitam em seu seio as vibrações de um ser que precisa reencarnar para progredir e que deve ser respeitado na sua qualidade de Espírito, como respeitada deve ser a própria Lei de Deus, que lhe permite e autoriza a reencarnação.

Alexis tudo vê, tudo examina, banhado em lágrimas, envergonhado por ter, num momento de fraqueza e perturbação, cedido à tentação do convite de Andrea. Não, ele não se matará, pois, realmente, não deseja a morte, apesar do muito que está sofrendo pelo triste desenlace dos seus sonhos de moço. Louise e seu pai, nesse ínterim, se afastam, enquanto sua mãe, qual anjo tutelar, enlaça-o pelos ombros num gesto de maternal afago:

— A prece que proferiste no parque, meu filho, teve a virtude de atrair e possibilitar nosso concurso em teu benefício. Foi-nos possível, então, nos aproximar de ti e nos fazermos compreender, porque, com tuas vibrações renovadas em sentido favorável, te predispuseste a ouvir-nos. Andrea, porém, infelizmente, corre grande perigo, pois é vulnerável à ação dos Espíritos inferiores, deixando-nos, assim, seus verdadeiros amigos, em desvantagem. Seu acompanhante invisível a odeia e tudo fará por perdê-la. No entanto, outrora ele foi seu amigo e até chegou a querê-la como se quer a uma filha. Mas ela mesma destruiu esse afeto com atos de traição... e, agora, há de reconquistá-lo por meio do sofrimento, do trabalho e do amor. Ela dá-lhe afinidades, entregou-se a ele definitivamente, ao desprezar o ensejo apresentado por Victor, a fim de reeducar-se nas linhas do bem e da dedicação às coisas de Deus. Por isso, é preciso tentar salvá-la, pois o suicídio a ninguém é imposto por lei e ela ainda poderá evitá-lo. Ordeno-te que, ao despertares, ponhas Victor a par de tudo e lhe peças auxílio para protegê-la. Dirige-te igualmente a Marcus de Villiers, aperta-lhe a mão, perdoando-o; vê nele um amigo, e não um rival. Passa, meu filho, a esponja do esquecimento nessas questiúnculas que nada valem e só servem para retardar a marcha do vosso progresso moral e espiritual. Não obstante, são minguadas as nossas esperanças de salvar Andrea: ela não quer ser ajudada, compraz-se no erro, não nos quer ouvir.

E Alexis ouviu, ainda, esta advertência:

— Sofre, filho querido, tudo quanto a Terra possa dar-te em amarguras e padecimentos, e não te entregues ao suicídio, porque multiplicarias as próprias desventuras. No suicídio existe uma espécie de matemática sinistra, que desdobra, decompõe, multiplica incomensuravelmente o sofrimento que o provoca, ao ponto de criar circunstâncias tão problemáticas e insolúveis que ele pode repetir-se de uma existência a outra! Sofre, pois, a dor do teu amor traído, porque ele não está perdido, e sim apenas adiado o momento de poderes fruir a felicidade de possuí-lo definitivamente. Sofre a vergonha, sofre o abandono, sofre o desprezo, sofre o olvido, sofre a solidão do coração e a mágoa da traição, sofre tudo, meu filho, porque tudo isso é remediável, porque para tudo isso encontrarás solução no amor a Deus e na beneficência ao teu semelhante. A única coisa irremediável é a consequência de um ato de suicídio. Vês em teu irmão Arthur a confirmação do que te digo. Ama com o Amor Divino, meu Alexis, e todos os teus pesares serão consolados. Evita, oh! evita o suicídio, porque este só te poderia abrir as portas da desesperação suprema, em séculos de lutas e provações.

Então, junto aos entes amados que o socorriam, Alexis orou novamente. Orou desfeito em lágrimas, prosternado, o rosto encoberto entre as mãos. Rogou forças a Deus para resistir à terrível tentação, quando retomasse o corpo material. Rogou forças para socorrer Andrea. Prometeu amar e proteger Arthur, ainda que isso lhe custasse renúncias e sacrifícios. Orou como sabem orar os humildes de coração, com simplicidade e cônscio das próprias fraquezas, e nessa prece, levada ao Infinito nas irradiações de um respeitoso amor ao Todo-Poderoso, ele se repletou com a esperança de poder vencer, e murmurou, por fim:

— Anjo de misericórdia, mensageiro de Deus! Tem compaixão de mim, em nome do Cristo, eu te suplico. Socorre-me, guia-me, salva-me!

15

A VITÓRIA DO OBSESSOR

> *[...] Desde que sobre ti atuam influências más, é que as atrais, desejando o mal; porquanto os Espíritos inferiores correm a te auxiliar no mal, logo que desejes praticá-lo. Só quando queiras o mal, podem eles ajudar-te para a prática do mal.*[43]

Georges, o criado de quarto, correu os reposteiros que velavam as velhas janelas estilo renascença que circulavam o aposento do amo, deixando que entrassem livremente para o recinto os jorros vivificadores do sol.

Alexis despertara completamente e puxara o cordão da campainha, pendente da cabeceira da cama, chamando o servo. Suave langor prendia-o ainda ao leito. Esforçava-se por lembrar-se integralmente do sonho que tivera, pois vira-se num local encantador, rodeado de seres amados que lhe haviam falado longamente. Todavia, não podia recordar-se completamente do que ouvira e somente se lembrava de que vira seu pai e sua avó, que o haviam advertido energicamente, por motivos que se prendiam ao seu projeto de suicídio.

---
[43] KARDEC, Allan. *O livro dos espíritos*, 2ª pt. cap. 9, it. 466.

Nenhum desejo de morrer prevalecia mais em suas resoluções, mas sentia-se frágil, moralmente abatido. Dir-se-ia convalescente de grave enfermidade, que ainda na véspera o afligira.

— Deitastes vestido, senhor. Nem mesmo os botins tirastes. Oh! sou um imbecil, deixei-me adormecer sem vos esperar. Por que não me despertastes?

O criado sentia-se envergonhado. Não vira chegar o amo e deixara de cumprir o dever de despi-lo para metê-lo no leito.

— Obrigado, Georges, não foi necessário. Bem vês que dormi perfeitamente, mesmo de casaco e sapatos.

— Quereis trocar de fato? Banho?

— Certamente. Prepara tudo a teu gosto. Não quero preocupar-me com vestuários. Que horas temos?

— Soaram as onze horas, senhor conde d'Evreux, e daqui a pouco tocará a sineta para o almoço... e as cerimônias serão iniciadas...

— Procura Victor, tenho necessidade de falar-lhe.

O criado saiu, a fim de cumprir a ordem, mas voltou alguns minutos depois, dizendo:

— O visconde e o senhor seu pai estão fechados na biblioteca, com o senhor conde de Villiers e os tabeliães. Parece que tratam das doações a *mademoiselle* Andrea da parte de seu noivo, e do dote que esta levará...

Alexis pareceu não ouvir e continuou a conversa, como se não a houvesse interrompido:

— Nunca dormi tanto e tão bem! Com sonhos iguais aos que esta noite me concederam os santos protetores gostaria eu de dormir até a tarde...

— Apesar de tão bons sonhos, há sombras de tristeza em vossos olhos, senhor... E por falar nisso...

— Sonhei que visitei o Céu, Georges. Ah! que encantamento! Daria a própria felicidade, se a possuísse, para poder viver para sempre naquele local. Não concebia o Céu tão belo assim. Ainda sinto os perfumes que embalsamavam o ambiente, lembro-me da melodia que sussurravam as borboletas e dos tons harmoniosos das vibrações das plantas...

— No Céu haverá mesmo borboletas e plantas, meu senhor? — interrogou o criado zombeteiro. — E nosso Senhor, chegastes a ver?

— Bem, calemo-nos. Guardarei só para mim esse sonho. Ninguém me compreenderia.

— E por falar nisso...

— Parece que desejas falar-me algo?

— É que, senhor conde, já por três vezes, desde as oito horas, *mademoiselle* Andrea mandou Matilde procurar-vos. Deseja vossa presença em seus aposentos urgentemente.

— Andrea! Querida e pobre Andrea! — murmurou consigo mesmo, como se aquele nome acabasse de chamá-lo às duras realidades da vida. — Que deseja ela, Georges, Matilde não o disse?

— Matilde sabe apenas que *mademoiselle* nega-se a receber o noivo e deseja ver-vos. Despertou cedo e mostra-se inteiramente estranha a tudo. Parece apenas viver por vós...

— Ela espera-me, bem o sei, meu Deus! — pensou. Depois, virando-se para o criado:

— Dá-me papel e tinta. Levarás um bilhete a Andrea, por intermédio de Matilde.

Em seguida, traçou estas linhas à sua antiga prometida, desejoso de contemporizar a situação, a fim de poder falar a Victor, participando-lhe o intento da irmã:

"Descansa, Andrea querida, amo-te como sempre. Espera-me calmamente, que já te atenderei. Suaviza tuas ideias e pensamentos. Pensa em Deus! Espera-me em teu gabinete. Em poucos minutos lá estarei."

Entregou o bilhete a Georges e saiu à procura do primo. Não o encontrou e nem a seu pai, o velho conde Joseph Hugo. Continuavam ambos em reunião com Villiers e os notários. Dirigiu-se, então, aos apartamentos da condessa Françoise Marie, desejando fazê-la ciente da grave resolução tomada por Andrea. Mas a condessa preparava-se para o almoço, que seria cerimonioso, e não pôde recebê-lo. Escreveu-lhe um bilhete, rogando solicitar a presença de Victor, com urgência, nos aposentos de Andrea. A condessa respondeu-lhe que se dirigisse ao mordomo e não a importunasse mais.

Humilhado por aquela mãe que nunca se interessara pelo bem da filha, dirigiu-se, com efeito, a Jacques Blondet e encarregou-o de tentar encarecer a Victor a necessidade premente de sua presença. No entanto, Victor e o conde resolviam, agora, as formalidades do casamento com Villiers e o cura da aldeia, e Alexis deveria esperar ainda alguns minutos.

Procurou, então, deixar com o mordomo um recado, pedindo a Victor para juntar-se a ele na sala de Andrea, pois precisava falar-lhe de assunto melindroso e grave.

O drama da Bretanha

Não pôde, porém, sequer concluir o recado para o primo, pois Andrea aproximava-se do grupo formado por ele e Jacques, excessivamente nervosa, demonstrando sintomas de alucinação. Toma-lhe do braço com força e arrasta-o para a escadaria que conduz ao parque. A custo, Alexis a detém e consegue que ela se sente em um banco de mármore, não distante do portão nobre. Andrea está vestida para o almoço de noivado e sua beleza dir-se-ia imaterial, capaz de encantar a quem a visse. Jacques não perde de vista o par que se refugiou no parque para conversar, estranhando que tal aconteça, pois Andrea já não desposaria Alexis e seu verdadeiro noivo não tardaria a aparecer, reclamando sua presença.

Entrementes, Alexis inicia a tentativa para dissuadi-la do suicídio. Fala-lhe com eloquência, despertando-a para o dever, lembrando-lhe o filho que ela traz consigo, aludindo a Deus e suas leis e ao crime que ela cometeria ante o Céu, a família, a sociedade, o pai de seu filho, a si própria. Fala-lhe de Villiers, o qual, afinal, é um fidalgo merecedor de acatamento, e da felicidade que ele, certamente, pode dar-lhe, pois que a ama. Conta-lhe, em nuanças emocionantes, o sonho que tivera naquela noite: a presença de sua mãe, de seu pai, de sua avó, e diz-lhe das impressões trazidas ao despertar, impressões que o aconselham a deter-se ante o suicídio e a fazê-la, igualmente, deter-se. Lembra-lhe Arthur, tão infeliz, que ficaria em doloroso desamparo se ele, Alexis, e ela própria desaparecessem por um crime de suicídio. Fala-lhe dos deveres para com Deus, para com seus pais, para com o filho inocente que ela está gerando. Promete-lhe eterna fidelidade diante de Deus: seguirá, sim, dali por diante, a vida religiosa, pois esse foi sempre o seu mais caro ideal, não realizado até aquela data devido ao compromisso assumido para com seus tios, a fim de desposá-la. E termina por esta categórica afirmativa:

— Não, Andrea, eu não quero morrer, não quero, não posso matar-me! E nem consentirei que o faças. Vamos subir para casa. Nossa família espera para o almoço em tua honra. Vamos ao encontro da felicidade, não da morte!

No entanto, ela repeliu-o. Indignada, afasta-se dele, não mais consentindo que ele a toque. Exprobra-lhe a covardia, retirando a palavra dada na véspera, de acompanhá-la no suicídio. Insulta-o, declarando que ele jamais a amara, pois não lhe perdoara a falta cometida em sua ausência e negava-se a unir-se a ela na morte, e que ele somente consentira no malogrado matrimônio de ambos, tal como dissera Villiers, em obediência às tradições da família, que de longa data escolhia os pares que se deveriam unir em matrimônio. Está desesperada e inconsolável, a boca espumante, a fisionomia alterada, e, subitamente, lança o olhar para a escadaria lateral do palácio, por onde vê alguém descendo apressadamente. É Victor, é seu pai, o conde Joseph, que, advertidos por Jacques de que algo de muito grave se passava com Andrea, querem encontrá-la, conjurando, de qualquer modo, algum perigo que a ameace. Andrea os vê e corre em direção ao portão nobre, que está aberto e dá saída para a bela estrada que conduz às ribanceiras do mar. Num gesto rápido, prevendo sua intenção, Alexis dirige-se apressadamente para ela, tentando agarrá-la à força. Andrea escapa-lhe das mãos e sai em correria vertiginosa pela estrada, em direção ao oceano, tal como previra Alexis. Está inteiramente dominada pelo obsessor. Talvez nem mesmo possa refletir livremente sobre o que faz, embora tenha noção de tudo e não sinta forças para conter-se. Em verdade, ela nada ouve, nada reflete, não compreende o que se passa. Suas percepções, seus sentimentos, seu raciocínio estão anestesiados pelo hipnotismo nefasto do inimigo, que quer atirá-la por um abismo, como outrora ela fizera despenhar-se por um abismo aquele apaixonado Henri Numiers, filho querido do mesmo obsessor e agora revivido em Arthur, que lá estava, preso a um leito de dores. Sente-se impelida a um fim que sabe tenebroso, porém não mais consegue retroceder. Agora é tarde para fugir a esse fim. Ela poderia ter evitado esse trágico destino se fosse mais submissa ao amor de Deus e aos conselhos e exemplos de seu irmão, que a desejou encaminhar para uma vida digna e feliz. Para cumprir-se a Lei de Deus, não havia necessidade de que ela se matasse para expiar o crime cometido contra Henri, porque o trabalho, o arrependimento e o amor, a par da prática do bem, igualmente redimem o pecador. Mas ela a nada quis ouvir e entregou-se ao inimigo invisível sem nenhum desejo de reação. E agora era tarde para reagir. Seus lindos vestidos de musselina branca esvoaçam enquanto ela corre, como se fosse uma figura de lenda, fugindo da perseguição dos mortais. Seus sapatinhos de cetim não impedem a correria, e seus cachos arruivados, que cintilam ao Sol, se despenteiam pela força dos ventos do mar, que a espera... Atrás dela, correndo em seu encalço, já compreendendo a desgraça iminente, seguem Alexis, Victor e seu pai, idoso e cansado, só muito dificultosamente conseguindo correr também...

De súbito, eles veem que as ribanceiras do oceano estão à vista e Andrea não para. Os ventos marítimos, daquela Bretanha agreste que tantos dramas já presenciara entre os homens, cortam-lhe as faces, sufocam-lhe a boca. Os rugidos das ondas desesperam o coração dos três varões que vão no seu encalço e tudo fazem por alcançar a enlouquecida jovem. Eles são aristocratas, homens de salão, jamais em suas vidas exercitaram corridas, não sabem correr, ao passo que ela está eletrizada por um obsessor que poderia mesmo fazê-la levitar-se, se o quisesse. Ainda assim, eles já iam, com efeito, alcançá-la. Nesse momento, porém, um grito hediondo de angústia e desespero fere o ar: Andrea precipita-se no vácuo e cai no abismo, desaparecendo nas águas, que são violentas. Alexis, então, grita:

— Andrea!

Grita Victor, desesperado e inconsolável:

— Andrea!

E brada o pobre pai, que de mais longe vê a filha precipitar-se:

— Andrea!

E todos ouvem o gargalhar sinistro do odioso obsessor, gargalhar que conhecem de há muito, em torno da infeliz menina.

Quando chegam à beira do abismo e olham para baixo, nada mais divisam. Ali não há possibilidade de salvamento. Apenas as ondas bravias e rumorosas de encontro às rochas. Alexis não resistiu, caiu desfalecido de dor sobre a relva que crescia no terreno. E quando Victor chegou e olhou o abismo, chorou convulsivamente.

16

Uma Página de Além-Túmulo

> *Jamais tem o homem o direito de dispor da sua vida, porquanto só a Deus cabe retirá-lo do cativeiro da Terra, quando o julgue oportuno. Todavia, a Justiça Divina pode abrandar-lhe os rigores, de acordo com as circunstâncias, reservando, porém, toda a severidade para com aquele que se quis subtrair às provas da vida. O suicida é qual prisioneiro que se evade da prisão, antes de cumprida a pena; quando preso de novo, é mais severamente tratado. O mesmo se dá com o suicida que julga escapar às misérias do presente e mergulha em desgraças maiores.*[44]

É muito próprio do obsessor refugiar-se longe do local das suas atividades depois dos desastres que provoca para o seu adversário, tal a criança que comete uma diabrura e se esconde, temerosa das consequências. Covarde, agindo oculta e sutilmente, prevalecendo-se das falhas e possibilidades que sua vítima oferece, muitas vezes até valendo-se de uma inadvertência, acobertado pela invisibilidade do seu estado imaterial, para cometer os mais torpes crimes contra o próximo, ele, no entanto, frequentemente apavora-se com o que pratica e passa a temer

---
[44] KARDEC, Allan. *O evangelho segundo o espiritismo*, cap. 28, it. 71.

as consequências dos próprios atos. Muitos deles apresentam o paradoxo de iniciarem a própria regeneração logo após o crime consumado, enchendo-se de remorsos e entrando em fase de sofrimentos morais indizíveis, até a reencarnação, que, para eles, representa o alívio supremo graças à trégua do esquecimento que traz, mas por onde se inicia, então, o programa dramático da expiação. Outros querem estar sós, escondidos como se temessem represálias, e se refugiam nas montanhas, em cavernas solitárias, em locais agrestes e até nas igrejas, onde supõem obter defesa e proteção contra o que quer que de contrário a eles venha a dar-se. Todavia, a solidão prolongada atemoriza-os, enerva-os e eles acabam procurando a sociedade a que pertencem, isto é, as correntes obsessoras que infestam a Terra como as baixas regiões do Invisível. Casos há em que, tais sejam os crimes praticados por um obsessor, não será ele aceito como integrante de um grupo composto de entidades menos maldosas do que ele. De outras vezes, ele se aterroriza, pois sabe que mais tarde ou mais cedo será escravizado por alguma falange forte, que dele exigirá obediência cega e atos desprezíveis de maldade generalizada. Por isso, o obsessor é, antes de mais nada, um grande sofredor, carecedor do amparo de nossas preces, pois que se esse infeliz decaiu a tal ponto foi porque a revolta o impeliu ao ódio vingativo contra ofensas graves recebidas. As lutas, pois, no Além-Túmulo são virulentas, mais ainda que na Terra, pois também aí existem a traição, o ardil pecaminoso, a delação, o assalto, a hipocrisia, a intriga, a infâmia, enfim, todas as torpezas, praticadas com maior intensidade ainda do que nas sociedades terrenas.

Ora, atirando sua vítima ao abismo, o obsessor Arnold Numiers não mais a viu. Seu fito supremo era apoderar-se de Andrea, requintar a vingança implacável torturando-a com os suplícios comuns nas regiões de trevas que ele bem conhecia. Mas não a viu mais. Nem mesmo o seu corpo, batido pelas ondas, atacado pelos peixes, ele logrou encontrar. Desapontado, retirou-se, intentando visitar Arthur, a quem amava e a quem sabia ser a reencarnação do seu sempre amado filho adotivo do século XVI — Luís de Narbonne — e do seu não menos amado legítimo filho — Henri Numiers — do século XVII.

O drama da Bretanha

A presença de um obsessor em um recinto doméstico afeta a vida dos seus moradores, mesmo que ele não deseje molestar ninguém em particular. Suas vibrações, poluídas pela inferioridade dos sentimentos; seus pensamentos, contaminados pelo desamor, agem como cáusticos sobre as vibrações dos moradores e daí os malefícios verificados, que podem causar longa série de distúrbios, desde a desavença entre os familiares, a angústia e a depressão nervosa, até a doença grave, o crime e o suicídio.

Visitando, pois, Arthur, encontrou-o sob verdadeiro acesso de loucura, estado que se prenunciava desde a véspera, quando já vinha ele sofrendo distúrbios nervosos pronunciados. Arthur, que ouvira o dramático alarme em todo o palácio, ocasionado pelo suicídio da prima, agora chamava por ela em gritos alucinantes, sem se poder levantar do leito para atingir a cadeira e sair. Aturdidos pelo horror da catástrofe, esqueceram-no estendido sobre o leito. Ali ele gritou, chorou, clamou, blasfemou, implorou a compaixão de Deus e dos homens. Ali, estando sozinho, sobrevieram as terríveis convulsões epilépticas, agravadas com a presença daquela entidade inferior que, em verdade, o amava, mas não possuía condições morais de socorrer quem quer que fosse. E, finalmente, dormiu, prostrado como morto. Vendo quanto mal a morte de Andrea fizera ao filho querido, Arnold Numiers afastou-se contrafeito, e deixou o palácio. Demandou, então, a velha região flamenga, onde possuíra a próspera quinta e fora feliz com sua mulher e seu filho. Bem transformada encontrou ele aquela herdade, que tão próspera fora no século XVII. Lá se deixou ficar, na mesma terra que fora sua, apegado ao passado, terra que agora pertencia a outrem, vagando pelas Igrejas onde outrora rezara devotadamente, temendo que maltas obsessoras o descobrissem e se apossassem dele; visitando o Castelo dos senhores de Stainesbourg, de quem fora feudatário; ajoelhando-se, banhado em lágrimas, no local onde encontrara o corpo dilacerado de seu filho, que se matara pelo amor de uma mulher, despenhando-se de uma montanha de granito, oh! aquela mesma mulher que ele acabara de precipitar em outro abismo, a qual, agora, disfarçara-se sob o nome de Andrea, com outras roupagens carnais.

Era um sofredor inconsolável, um desgraçado revel, a quem o ódio perdera.

Entretanto, Arnold Numiers não era propriamente mau. Fora homem honesto, amigo da família, trabalhador, prestimoso, cumpridor dos próprios deveres, não obstante seu caráter enérgico e orgulhoso, perdidamente apaixonado pelo filho. Apenas odiara a esposa deste, depois de tê-la amado como a uma filha e ter confiado nela, pois sua traição e adultério levaram seu filho ao suicídio. A ninguém mais, porém, seria capaz de odiar, de trair e fazer mal. E por isso a misericórdia de Deus bem cedo o socorreu.

Deixemo-lo, contudo, refugiado em sua antiga aldeia natal, sofredor e desolado, e voltemos a Saint-Omer, a fim de nos inteirarmos dos acontecimentos que ali se desenrolaram.

* * *

Como era natural, toda a aldeia de Saint-Omer e também a de Saint-Patrice, propriedade de Marcus de Villiers, sofreram o impacto do suicídio de Andrea. O escândalo foi grande e mil versões foram levantadas para explicar o gesto da jovem que, nas vésperas do casamento, se atirara voluntariamente ao mar. Enquanto se comentava o ocorrido, porém, os aldeões e camponeses contratados por Marcus e pelo senhor de Guzman punham-se em ação para encontrar o corpo de *mademoiselle*, na mesma tarde do dia fatídico. Mas foi em vão. Barcos, sondas, mergulhos, tudo foi posto em ação por aqueles e também pelos técnicos do mar, que de longe foram chamados para a ingrata tentativa. O local era difícil, encrespado de pedras, as águas agitadas, tornando assaz penoso o trabalho dos esforçados devassadores. Alguns poucos dias depois, no entanto, após uma grande vazante local, viu-se o frágil corpo daquela que fora a formosa Andrea engastalhado entre as pedras. Foi então fácil a recuperação, porque o oceano não quisera guardar o corpo que o procurara por meio de um crime.

O drama da Bretanha

E os funerais foram realizados no mausoléu dos de Guzman d'Albret, com simplicidade e muitas lágrimas.

Mas Andrea de Guzman não morrera, porque a alma é eterna e sobrevive ao despedaçamento do corpo material. Se o seu envoltório físico fora dilacerado, mutilado, aniquilado pela força das águas de encontro às pedras, precisamente no dia em que foi sepultado começou ela a voltar a si da longa anestesia que desde antes do desastre sofrera.

Ao se despenhar no abismo, levada por seu obsessor, ela como que tomou consciência de si mesma e, num instante supremo, entreviu o que acontecia. Viu-se, em seguida, dolorosamente contundida pelas águas, e um colapso atingiu-a, entorpecendo suas faculdades de raciocínio. Ela como que desfaleceu, rudemente traumatizada, permanecendo em estado de choque, como se o coma da agonia tolhesse suas sensibilidades. Assim permaneceu longo tempo, sem poder distinguir se se passaram horas, minutos ou séculos. Pouco a pouco, porém, começou a entrever vagamente que uma grande desgraça a atingira; angústias mortais a oprimiam; o medo, o horror afligiam-lhe o coração. No entanto, ela não podia refletir que desgraça era essa e porque tanto desespero a acabrunhava. Dores atrozes se espalhavam agora por seu corpo, como se seus ossos estivessem fraturados e suas carnes dilaceradas. Sentia-se envolvida pelas águas, afogando-se, asfixiada, e debatia-se procurando salvamento, mas não era capaz de abrir os olhos para reconhecer em que local se encontrava. Noite escura a rodeava e o horror, o medo daquela terrificante solidão começaram a excitá-la. No entanto, como num pesadelo, via a imensidão das águas, ouvia o rugido do mar, sentia as ondas castigarem seu corpo, mas não compreendia por que tudo isso via e sentia e se apavorava ante aquele estado em que submergira sua razão. Pouco a pouco, desenhou-se em suas recordações o seu lar e nele viu-se vivendo desde pequenina: o abandono em que a deixava sua mãe, entregando-a desde tenra idade às amas e preceptoras mercenárias, que a criaram, e deixando-a sofrer a nostalgia dos afagos maternos, que não encheram seu coração de criança. Reviu seu pai, sempre preocupado com mil assuntos, sem jamais prestar atenção a ela senão para censurá-la; reviu o seu deficiente aprendizado escolar, os professores exigentes, suas dificuldades em assimilar as lições, atormentada sempre por aquela presença inimiga, e os castigos recebidos pelas baixas notas obtidas nos exames. Depois o refrigério do amor tão santo de Alexis e de Arthur, que a queriam com devoção religiosa; Victor, o irmão terno e generoso, o pai que, em verdade, ela conhecia, e que tudo tentara para aliviar seus sofrimentos, mas com quem pouco pudera conviver, dado que ele se fora para o Oriente quando ela ainda não podia perceber as coisas da vida. Que remorso, agora, por não se ter esforçado por atendê-lo, curvando-se aos seus conselhos! E Marcus, e o drama do seu pecado, a traição a Alexis, a desonra, a vergonha, o filho que ela trazia em si, a própria vida para sempre infelicitada, e tudo isso somando-se ao afogamento, ao horror das trevas entre as vagas. Sentia ao redor de si, como que disperso pelo ar, como que dentro do seu ser, mas, em verdade, nos refolhos da sua consciência, um choro lamentoso de criança recém-nascida. Julgava a criança a seu lado, afogando-se com ela. Uma ternura infinita levava-a a compadecer-se dessa frágil criaturinha que com ela sofria, e, então, debatia-se intentando salvá-la, mas se se dirigia à direita, procurando-a, os tristes lamentos se repetiam à esquerda; se se dirigia à esquerda, eles se alongavam pelas ondas afora. Ela, então, estendia os braços no auge da aflição, reconhecia que aquele choro era o da criança que ela trazia em si, o seu filho, o filho de Marcus de Villiers, e então gritava, repetindo desesperadamente:

— Meu filho! É o meu filho que se afoga! Socorro! Socorro para o meu filho! Marcus, por piedade, salva o meu filho, salva o nosso filho!

Era um pesadelo que passava por sua mente em detalhes aflitivos, à revelia dela própria, panorama sinistro que dela não encobria a menor particularidade ocorrida em sua vida, pesadelo que tinha por termo a queda no abismo, com o gargalhar do inimigo atroz, que a acompanhara desde sempre.

Viu, depois, por entre nuvens negras que lhe toldavam o raciocínio, que era levantada das águas que a sufocavam. Voltou ao palácio sem saber como, e sempre por entre brumas negras, tolhida por um entorpecimento que a transformava num autômato. Reviu o lar paterno, o qual abandonara para seguir o seu irresistível inimigo, que a chamara até as ribanceiras do mar; notou que Arthur encontrava-se enfermo, entre a vida e a morte, vítima de um choque nervoso que ameaçava enlouquecê-lo. Viu luto, choro, dores, sem compreender por que os via. Sua mãe, enferma, guardando o leito; Victor, acabrunhado, indo e vindo para atender, a um e a outro, os visitantes consternados, alguns banhados em lágrimas de decepção; Alexis, enfermo, solitário em seus aposentos. Tudo isso por entre um sonho indecifrável e angustiante a que se desejaria furtar, mas para fugir ao qual não possuía vontade, nem forças, nem liberdade. Era um ser traumatizado, aniquilado, cujas vibrações, dilaceradas pelo suicídio, levariam ainda muito tempo a se reorganizarem. E assim, como sonhando em pesadelo, indagava de um e de outro, balbuciando arrastadamente, num esforço mental atordoado, sem, no entanto, lograr resposta:

— Que aconteceu aqui? Por que luto, choro, desespero?

Mas o oceano a atraía e ela afastou-se. Outra vez, eis as impressões das ondas envolvendo-a, arrastando-a para o largo, a asfixia desesperando-a sem matá-la, os ossos partidos, os tristes lamentos do pobre recém-nascido, os peixes vorazes mutilando seu belo corpo, o horror da agonia sem-fim, perpetuando, em sua mente desequilibrada pelo trauma do perispírito, as dolorosas sensações sofridas no decorrer do seu tormentoso drama. Ligada ao corpo por liames vitais e magnéticos, que se demoram a romper no ato do suicídio, sua mente espiritual captou e registrou no seu corpo perispiritual todos os embates sofridos pelo corpo físico, ocasionados pelo suicídio. Não tinha serenidade, nem força mental para raciocinar e compreender o que em verdade se passava. Se estava no mar, jogada daqui para ali pelas ondas mais fortes, também estava no lar, tentando falar a um e a outro, rodeada de sombras e nuvens espessas que a cegavam, e até em Saint-Patrice ela se viu certa vez. Marcus chorava, a sós em seu quarto, e, muito admirada, compreendeu que ele murmurava:

— Meus Deus, perdoai-me, fui um infame! Desgracei a vida de uma criatura inocente. Ela preferiu morrer a unir-se a mim e ser mãe do meu filho. Perdoai-me, Pai!

E assim ficou Andrea de Guzman durante muito tempo, vencida pelo torpor do choque perispiritual, debatendo-se em confusão, sofrendo, mas não reconhecendo o seu verdadeiro estado espiritual. Como em vida carnal não se dedicara à oração a Deus, elevação mental que favorece a iluminação interior da alma, também não soube orar e procurar Deus, a fim de suplicar socorro para seu deplorável estado, uma vez desencarnada.

Entretanto, grande benefício adviera para a sua desgraçada situação: seu obsessor retirara-se, uma vez consumado o delito. Ela não fora tragada pelas correntes malévolas de Espíritos turbulentos que escravizam, muitas vezes, aqueles que se deixam vencer pelos maus atos praticados durante o estado físico-material. Havia, em seu caso, uma grande atenuante: ela fora arrastada ao suicídio por um obsessor, que a dominara. Por si só, ela não se atiraria ao desespero, apesar do muito que sofrera. No entanto, havia também uma grande agravante: Andrea ia ser mãe. Ainda assim, a responsabilidade maior era do obsessor. Ele cometera, portanto, dois crimes. As preces de Victor e de Alexis eram o sustentáculo que mantinha Andrea fora da possibilidade dos ataques pérfidos do mundo invisível. Seus amigos espirituais estavam vigilantes, à espera do momento oportuno para socorrê-la melhor. Ela sofria apenas o trauma inevitável que acompanha o desprendimento do Espírito pela violência de um suicídio.

Assim é o suicídio, ainda quando atenuado por uma ação obsessora. E, tal como é, temos de aceitá-lo... ou evitá-lo, para não sofrermos suas amargas consequências.

17

A AÇÃO BENÉFICA DA PRECE

Os Espíritos sofredores reclamam preces e estas lhes são proveitosas, porque, verificando que há quem neles pense, menos desconfortados se sentem, menos infelizes. Entretanto, a prece tem sobre eles ação mais direta: reanima-os, incute-lhes o desejo de se elevarem pelo arrependimento e pela reparação e, possivelmente, desvia-lhes do mal o pensamento. É neste sentido que lhes pode não só aliviar, como abreviar os sofrimentos.[45]

Dentro de curto prazo, muitas transformações se haviam operado no modo de existir das nossas personagens.

Marcus de Villiers, desgostoso com os acontecimentos, que o feriram profundamente, fechou o seu belo Castelo de Saint-Patrice, com ordens ao intendente para arrendá-lo ou vendê-lo, e partiu para Paris. Organizou negócios, distribuiu boas dádivas às instituições beneficentes, reservando o que fora a doação a Andrea, em dinheiro, para os necessitados de Saint-Patrice e de Saint-Omer e a escolas da região, em memória da noiva querida, que nunca o amara, mas que, levada pela invigilância e por

---

[45] KARDEC, Allan. *O evangelho segundo o espiritismo*, cap. 28, it. 18.

singulares influências exteriores, se divertira à sua custa, para depois matar-se, fugindo ao indispensável matrimônio com ele. Essa dor Marcus a guardaria para sempre, mesmo depois de constituir família, já na América, para onde novamente emigrara, nunca mais voltando à França. Fizera-se fazendeiro no grande Estado de Louisiana e viveu pacatamente, dedicado ao trabalho e ao bem geral, e como bom marido, excelente pai e crente devotado da seita presbiteriana, da Reforma Protestante. A lição amarga do drama a que dera causa reconciliou-o com Deus para sempre, dele fazendo um homem cheio de fé, amigo do bem e do próximo. Todas as tardes, ao cair do crepúsculo, ele procurava isolar-se entre as árvores do seu parque, evocava aquela bela Andrea dos cabelos arruivados e fazia esta singela prece do coração:

— Deus do Céu! Sê misericordioso com a minha pobre Andrea. E perdoa, Senhor, o meu pecado!

Esse pecado ele o resgatou, com efeito, durante o resto da sua vida, que foi longa, dedicada a socorrer os infortúnios alheios e ao trabalho. Socorreu a muitos aflitos, acalmou muitas dores, solucionou muitos problemas amargos dos que o buscavam cheios de desespero. Conhecia os Evangelhos, como protestante que se fizera, e por isso sabia que "a caridade cobre uma multidão de pecados". Em existências futuras, porém, certamente encontraria Andrea de Guzman, a quem devia uma reparação.

Que reparação seria essa?

Só Deus o sabe. Mas a sua lei dispõe que o amor e o trabalho também redimem faltas, não apenas a expiação, e que o pecador pode reparar erros cometidos contra uma pessoa servindo a outra pessoa. De qualquer forma, Andrea e Marcus não estavam separados para sempre. Eles se cruzariam, necessariamente, em caminhos de etapas vindouras, para que o santo sentimento do amor espiritual os ligasse definitivamente perante Deus. E, uma vez casado, na América, a primeira filha de Marcus recebeu o nome de Andrea.

O drama da Bretanha

A família de Guzman igualmente sofreu grandes transformações.

A condessa Françoise Marie, corroída de remorsos pelo abandono a que sempre relegara a filha, sem educá-la em bons princípios de moral, sem cultivar em seu coração o amor e o respeito a Deus, deixando-a entregue a amas e preceptoras mercenárias, adoeceu gravemente, com o choque recebido com o suicídio. Por muitos dias sofreu e delirou, temendo a família um desenlace fatal. Todavia, restabeleceu-se, embora deficientemente, e uma grande tristeza e inconsolável pesar, por se sentir culpada do destino da filha, agora a faziam definhar. Durante o exílio imposto pela Revolução, o conde Joseph Hugo e ela, sua esposa, se haviam aclimatado muito bem na Espanha. Seus antepassados eram espanhóis. Resolveram, então, retornar à Espanha para sempre, pois a França, a Bretanha, Saint-Omer, principalmente, já não lhes ofereciam condições para continuarem felizes. Ouvirem, durante o dia e a noite, aquele rugido do oceano, suas águas batendo nas pedras, numa evocação permanente do drama que os pungia, eram fatos superiores às suas forças. Seria o mesmo que perpetuamente suporem o frágil corpo da filha desfazendo-se naquele vaivém eterno das ondas. Tanto o conde como a esposa buscaram, então, conforto na religião para a dor que os oprimia, arrumaram as malas e quanto foi possível empacotar, e fecharam o Castelo, deixando-o entregue a administradores e rendeiros, e carregaram consigo o fiel Jacques Blondet, a quem muito estimavam. Mais tarde, pela morte de ambos e em face da renúncia de Victor, a propriedade passou a herdeiros que residiam fora da Bretanha e raramente a visitavam.

Alexis e Arthur seguiram em companhia dos tios e se fixaram igualmente na Espanha, habitando, porém, em um convento de franciscanos. Alexis protegeu carinhosamente o gêmeo, tal como lhe fora recomendado naquela noite inesquecível, em que convivera com seus protetores espirituais por intermédio de um sonho salvador. Arthur, que não estimava devidamente o irmão antes da morte de Andrea, reconciliou-se com ele definitivamente, e agora amava-o tanto que nunca mais o deixou. Converteu-se à fé cristã, ele que era avesso às coisas de Deus, pelos ensinamentos evangélicos, e seu maior reconforto era meditar sobre os evangelhos e os feitos heroicos dos primeiros cristãos. Jamais falava em Andrea. No entanto, amava-a ainda e sempre e nunca deixou de dirigir uma prece a Deus em sua intenção.

Três anos depois de haver ingressado no convento, Alexis, que, antes do retorno à França, pretendera o sacerdócio e quase o obtivera, recebeu ordens menores, tornando-se irmão da Ordem de São Francisco de Assis. Seguiu as pegadas desse Apóstolo do Cristianismo e imitou seus exemplos quanto possível, não medindo sacrifícios pelo bem do próximo. Deu-se todo às obras de beneficência ao próximo, como se deu ao seu gêmeo. Sua vida, a partir do suicídio de Andrea, foi um traço de fé em Deus, de amor, de humildade, de caridade, de consagração ao bem. Ele, que desde o século XVI, quando existiu como príncipe Frederico de G., vinha sendo uma alma boa e nobre, redimiu-se nessa existência do século XIX e, ao partir para o Além, já em idade avançada, ouviu a doce voz do Alto sussurrar aos seus ouvidos, na hora suprema de expirar:

— "Passai à direita, benditos de meu Pai, porque tive fome, e me destes de comer, tive sede, e me destes de beber, estava nu, e me vestistes, estava enfermo e encarcerado, e me fostes ver; pois, em verdade vos digo que, todas as vezes que isso fizestes a um dos meus irmãos mais pequeninos, a mim o fizestes."[46]

Arthur, porém, que reencarnara apenas para preencher o tempo que lhe faltara viver na existência anterior, quando cortara o fio da própria vida dando-se a um suicídio, desencarnou aos 25 anos, em plena juventude, portanto, pouco depois da ordenação do irmão no sacerdócio. E Victor, que fora o baluarte moral da família, revigorando-a nos dias amargos, quando do choque do drama de Andrea, Victor, que, finalmente, conseguira fazer da família crentes sinceros em Deus, uma vez os pais desencarnados, retornou ao Oriente para estudar e averiguar as origens

---

[46] N.E.: *Mateus*, 25:34 a 36 e 40.

O drama da Bretanha

do Cristianismo e instruir-se nas grandes doutrinas esotéricas, cujo berço eram a Índia e o Egito. Nunca mais voltou ao Ocidente, a não ser reencarnado. Mas serviu a Deus e ao amor fielmente, na pessoa do seu próximo sofredor, a quem protegeu com abnegação. Levou vida humilde e obscura, mas fértil em ações heroicas, como o fora a vida dos primeiros cristãos e como fora seu velho hábito desde os dias trágicos do século XVI, quando tombara massacrado por amor ao evangelho do Cristo, ao lado dos pais e dos irmãos de então.

O suicídio de Andrea, erro nefando que ela deveria expiar rigorosamente, em etapas futuras, tivera uma virtude, tudo dentro das leis misericordiosas de Deus: encaminhou a família toda, definitivamente, para Deus, Marcus de Villiers inclusive, com a grande dor que a todos causou.

* * *

Um dia, ainda antes da morte de Arthur, Alexis ajoelhou-se ante o altar onde frequentemente fazia as suas orações, altar posto nos aposentos que ele ocupava com seu irmão, no convento onde residia. Havia alguns poucos meses que se tornara religioso. Ajoelhado, as mãos unidas descansando sobre o alvo linho do altar, ele concentrava-se ao máximo, orando pela salvação de Andrea dos suplícios ocasionados pelo suicídio. Chorava, e seu pensamento, firme, sincero, subia em faixas luminosas à procura do seio divino, em votos ardentes pela noiva tão querida e tão infeliz, e do seu coração irradiavam luzeiros, circundando-o todo. Por sua vez, Andrea continuava em Saint-Omer, sofrendo a presença dos cenários em que tanto padecera. Via-se só no imenso palácio desabitado, indo de sala a sala à procura de alguém, ou vagando pelo parque, como outrora fora seu temerário prazer durante noites consecutivas. Revia os recantos prediletos e repetia os atos então realizados. Voltava à latada de rosas, local dos seus encontros pecaminosos com Villiers, e as cenas então ali vividas se corporificavam à sua visão, entrevistas nas vibrações do ambiente. Fugia, então, espavorida e soluçante, lançando gritos lastimosos, encobrindo o rosto com as mãos e procurando esconder-se noutra parte, trêmula de arrependimento, de vergonha e pavor. Vagava, de outras vezes, pelas ribanceiras do mar, como outrora, em seus passeios solitários, para, em seguida, arrastada pelas impressões doentias e indomáveis, sentir-se envolvida pelas ondas bravias que ameaçavam destruir os rochedos. Então, sua mente reacendia os tormentos já experimentados e ela revivia o horror dos primeiros dias após o suicídio, quando liames poderosos ainda a prendiam ao corpo, sacrificado indevidamente. Lembrava-se de que devia ser mãe e um terror indescritível se apoderava dela, participando-lhe que um dia daria contas a Deus do princípio de vida que germinava em seu seio, procurando equilibrar-se na plenitude da existência, e o qual deixara se afogasse com ela, sem conseguir salvá-lo da atrocidade das ondas, agora, quando se sentia arrependida. Recordava Marcus e tão isolada e desgraçada se sentia que deplorava não o ter recebido por esposo, como era seu dever, pois reconhecia agora que ele a amava e lhe teria dado paz e tranquilidade, num lar legitimamente constituído. E de longe o via, sem saber como o via, pensativo e choroso, a rogar a Deus por ela. Então, chorava aos gritos, desolada e inconsolável, entrevendo a verdade do seu estado incompreensível, suplicando perdão ao Todo-Poderoso; e quem pudesse ouvir seus brados de angústia e desolação os confundiria com os rugidos do oceano.

Um dia, porém, quando se sentia assim, batida pelas ondas, cheia de incertezas e remorsos, ouviu uma voz cariciosa, a primeira voz que ouvia depois do desastre que a tragara, muito conhecida sua, que dizia:

— Andrea, minha querida, pensa em Deus, roga o seu auxílio, Ele te socorrerá!

Ficou atônita e pôs-se a procurar o local de onde partia aquele murmúrio. Era a voz de Alexis, e ela a reconheceu. Mais alguns instantes e ouviu novamente:

— Andrea, minha querida, pensa em Deus, Ele te socorrerá!

O drama da Bretanha

Distinguiu, então, muito ao longe, no extremo de um caminho luminoso, um altar de brancura impecável e um religioso ajoelhado, orando de mãos súplices em direção ao Alto. Pouco a pouco, percebeu que o lindo quadro, faiscante de claridade, aproximava-se dela. Mas, em verdade, era ela que seguia, atraída por aquele rastilho magnético, para onde se efetuava a tocante evocação. Temerosa, meio apalermada, como todo suicida se conserva em Além-Túmulo, ainda sob a ação do pesadelo, que começava a dissipar-se, ela seguiu, seguiu... e atingiu a Espanha. E, em dado momento, reconheceu Alexis, trajando o burel de franciscano, compreendeu que ele orava por ela, à frente de um altar, viu Arthur na sua cadeira de rodas, de cabeça baixa e de mãos cruzadas sobre os Evangelhos, postos em seus joelhos. Os dois corações, que tanto a haviam amado desde os séculos passados, choravam e oravam por ela. Por meio dos seus pensamentos, Andrea viu e compreendeu o drama atroz que se passara com ela própria. A cena do suicídio apresentou-se diante dela como se se tratasse da visão de um teatro. Ela soltou um grito dilacerante, o mesmo grito que soltou ao se despenhar no abismo, caiu de joelhos e um como desmaio a prostrou ao lado dos gêmeos, que continuaram orando e nada viram de positivo, mas pressentiram que algo de muito sagrado se passava em torno deles.

Louise de Guzman, o Espírito protetor da família, e alguns daqueles antigos Brethencourt de La-Chapelle, do século XVI, que permaneciam desencarnados, desceram a socorrer o pobre Espírito exausto de sofrimentos. Levaram-no para tranquila região do Espaço, onde o rodearam de amor e cuidados e onde, finalmente, Andrea adormeceu em braços maternos, amparada por amigos leais, enquanto Alexis e Arthur permaneceram em orações diárias em seu benefício.

Epílogo
A despedida

Sou o grande médico das almas e venho trazer-vos o remédio que vos há de curar. Os fracos, os sofredores e os enfermos são os meus filhos prediletos. Venho salvá-los. Vinde, pois, a mim, vós que sofreis e vos achais oprimidos, e sereis aliviados e consolados.[47]

Andrea foi reeducada no Espaço por seus guias espirituais e demais amigos dedicados que caridosamente a amavam. A educação, a instrução que ela não logrou receber dos pais terrenos obteve-as dos mentores espirituais. Seus erros foram graves. Mas ela havia também sofrido muito desde épocas passadas e agora preparava-se para voltar à Terra, em fase de trabalhos e realizações para a própria edificação moral-espiritual. Voltaria, porém, sozinha, desacompanhada daqueles corações dedicados a quem ela havia atraiçoado em mais de uma existência, a fim de que, na solidão dos afetos, que não lograria encontrar, aprendesse a grande virtude da lealdade do coração. Uma vez vencedora dessa nova etapa a tentar, nada mais impediria sua volta ao seio da família de La-Chapelle, pois não nos esqueçamos de que ela havia sido, no século XVI, participante dessa família como Ruth Carolina.[48] O suicídio na Bretanha, resultado de várias existências de aventuras e paixões, tivera grandes atenuantes em vista da terrível obsessão que sofreu desde a infância. Porém, isso não a

---

[47] KARDEC, Allan. *O evangelho segundo o espiritismo*, cap. 6, it. 7.
[48] N.E.: Personagem central do romance *Nas voragens do pecado*.

isentava de culpa, porque ela se entregara voluntariamente ao obsessor, facilitando-lhe o domínio com o mau procedimento diário, desprezando ensejos para livrar-se dele ou, pelo menos, atenuar suas influências. Deveria, pois, reencarnar a fim de se reabilitar dessas faltas, que lhe oprimiam a consciência. Ela envergonhava-se de tais máculas e pedira uma existência nova, de resistência ao mal, de testemunhos de fé e obediência ao dever, de trabalhos e devotamento ao bem. Acareada com o obsessor, nele reconheceu aquele "monsenhor de B." do século XVI, pai adotivo de Luís de Narbonne, que a desejou proteger e salvar do mal num dia decisivo para seu futuro espiritual; e também Arnold Numiers, pai de Henri, do século XVII, que tanto a havia querido. Atraiçoara pai e filho, criminosamente, em duas existências consecutivas. Deu razão a Arnold por havê-la odiado e vingado a ofensa, e prostrou-se a seus pés, pedindo-lhe perdão em nome de Deus. O rude Espírito levantou-a, apertou-a nos braços e exclamou, por entre lágrimas:

— Perdoo-te, sim! Perdoo-te por amor ao meu filho, que tanto te tem amado através do tempo. Perdoa-me tu também, em nome do mesmo Deus.

Todavia, Arnold Numiers era também réu de um grande crime e devia reencarnar, a fim de expungi-lo da consciência por entre dores, lágrimas e trabalho. Daquele grupo de personagens dos séculos XVI e XVII, portanto, todos se haviam convertido ao bem em lutas redentoras e agora eram Espíritos felizes, cheios de méritos, que se encaminhavam para novos ciclos de ascensão para Deus. Alexis e Victor só reencarnariam na Terra para a realização de missões em favor do próximo, não mais por provações. De modo que apenas Andrea e Arnold permaneciam em escala inferior, ao passo que Marcus de Villiers, Espírito arrependido e trabalhador, era considerado de *boa vontade*, nos códigos espirituais.

Nesse dia solene, na região do Espaço onde pairavam, realizava-se a despedida de Andrea para a reencarnação. Todos reunidos ao seu redor, seu guia espiritual falava por todos e ela ouvia gravemente:

— Nada receies, minha Andrea! Todos nós velaremos por ti e continuaremos a amar-te, como sempre. Seremos os teus tutelares, amigos de todos os momentos. Viverás na época do Consolador prometido por Jesus, o Cristo de Deus, e renascerás sob sua proteção, num lar esclarecido por suas virtudes. Estás, portanto, preparada para vencer, e vencerás. E nós aguardaremos teu retorno aos nossos braços, ansiosamente...

Andrea, então, despediu-se daqueles entes queridos, cujo amor ainda não merecia. Partia para uma existência de lutas rudes e labores santificantes, a fim de merecê-lo. E por isso partiu encorajada pela fé e a esperança.

Diante de Alexis, chorou e suplicou perdão, ainda uma vez. Diante de Arthur, abraçou-o e chorou convulsivamente. Diante de Victor, ajoelhou-se e abraçou-lhe os pés, murmurando entre lágrimas:

— Não me abandones, irmão bem-amado! Perdi-me no século XVI vingando um crime cometido contra ti, que eu tanto amei. Mas prometo reabilitar-me pela força desse mesmo amor.

Ele tomou-a nos braços e respondeu:

— Hás de reabilitar-te, sim, pelo amor de Jesus, que te estende a mão.

Depois, Andrea afastou-se... afastou-se... Mergulhou na atmosfera terrena, para promover a própria reencarnação, em serviços de reabilitação.

E só o seu guia espiritual acompanhou-a.

* * *

Então, nada mais captei nas vibrações dos ambientes que minha vidência espiritual penetrava.

Voltei a mim, liberando ao seu estado normal as potências sagradas da alma, e senti-me comovida e edificada com aqueles singulares episódios passados havia um século, mas que eu acabara de presenciar como se naquele mesmo instante se desenrolassem.

Vi-me sentado na poltrona Luís XIV, de seda azul e ouro, e reconheci ali o salão nobre onde Victor lecionara a moral evangélica à família, cioso do seu progresso. Minha alma sentiu-se então extremamente unida àquelas personagens e, banhado em lágrimas, aos Céus elevei o pensamento numa prece por todos eles. E disse a mim mesmo:

— Quem sabe, Deus meu, se, visitando algum dia a região da Flandres Ocidental, descobrirei em sua ambiência etérea as cenas, ali impressas, do drama de Henri e de Arnold Numiers? Drama que deu causa aos tristes episódios a que acabei de assistir?

"Eu o farei, se Deus assim o permitir..."

Edições
O DRAMA DA BRETANHA

EDIÇÃO	IMPRESSÃO	ANO	TIRAGEM	FORMATO
1	1	1974	15.000	13x18
2	1	1980	5.000	13x18
3	1	1983	10.000	13x18
4	1	1986	10.000	13x18
5	1	1989	10.000	13x18
6	1	1991	15.000	13x18
7	1	1993	10.000	13x18
8	1	1999	5.000	13x18
9	1	2003	2.000	12,5x17,5
10	1	2003	2.000	14x21
10	2	2006	2.000	14x21
10	3	2008	2.000	14x21
10	4	2009	1.000	14x21
10	5	2010	2.000	14x21
10	6	2011	1.000	14x21
11	1	2013	2.000	16x23
11	2	2014	2.000	16x23
11	3	2015	2.000	16x23
11	4	2017	1.800	16x23
11	5	2018	1.000	16x23
11	6	2019	500	16x23
11	7	2019	3.700	16x23
11	8	2019	1.000	16x23
11	9	2019	1.500	16x23
11	10	2021	1.000	16x23
11	IPT*	2023	250	15,5x23
11	IPT	2024	350	15,5x23
11	IPT	2024	400	15,5x23
11	14	2024	1.000	15,5x23

*Impressão pequenas tiragens

O QUE É ESPIRITISMO?

O Espiritismo é um conjunto de princípios e leis revelados por Espíritos Superiores ao educador francês Allan Kardec, que compilou o material em cinco obras que ficariam conhecidas posteriormente como a Codificação: *O livro dos espíritos*, *O livro dos médiuns*, *O evangelho segundo o espiritismo*, *O céu e o inferno* e *A gênese*.

Como uma nova ciência, o Espiritismo veio apresentar à Humanidade, com provas indiscutíveis, a existência e a natureza do Mundo Espiritual, além de suas relações com o mundo físico. A partir dessas evidências, o Mundo Espiritual deixa de ser algo sobrenatural e passa a ser considerado como inesgotável força da Natureza, fonte viva de inúmeros fenômenos até hoje incompreendidos e, por esse motivo, são tidos como fantasiosos e extraordinários.

Jesus Cristo ressaltou a relação entre homem e Espírito por várias vezes durante sua jornada na Terra, e talvez alguns de seus ensinamentos pareçam incompreensíveis ou sejam erroneamente interpretados por não se perceber essa associação. O Espiritismo surge então como uma chave, que esclarece e explica as palavras do Mestre.

A Doutrina Espírita revela novos e profundos conceitos sobre Deus, o Universo, a Humanidade, os Espíritos e as leis que regem a vida. Ela merece ser estudada, analisada e praticada todos os dias de nossa existência, pois o seu valioso conteúdo servirá de grande impulso à nossa evolução.

O LIVRO ESPÍRITA

CADA LIVRO EDIFICANTE é porta libertadora.

O livro espírita, entretanto, emancipa a alma nos fundamentos da vida.

O livro científico livra da incultura; o livro espírita livra da crueldade, para que os louros intelectuais não se desregrem na delinquência.

O livro filosófico livra do preconceito; o livro espírita livra da divagação delirante, a fim de que a elucidação não se converta em palavras inúteis.

O livro piedoso livra do desespero; o livro espírita livra da superstição, para que a fé não se abastarde em fanatismo.

O livro jurídico livra da injustiça; o livro espírita livra da parcialidade, a fim de que o direito não se faça instrumento da opressão.

O livro técnico livra da insipiência; o livro espírita livra da vaidade, para que a especialização não seja manejada em prejuízo dos outros.

O livro de agricultura livra do primitivismo; o livro espírita livra da ambição desvairada, a fim de que o trabalho da gleba não se envileça.

O livro de regras sociais livra da rudeza de trato; o livro espírita livra da irresponsabilidade que, muitas vezes, transfigura o lar em atormentado reduto de sofrimento.

O livro de consolo livra da aflição; o livro espírita livra do êxtase inerte, para que o reconforto não se acomode em preguiça.

O livro de informações livra do atraso; o livro espírita livra do tempo perdido, a fim de que a hora vazia não nos arraste à queda em dívidas escabrosas.

Amparemos o livro respeitável, que é luz de hoje; no entanto, auxiliemos e divulguemos, quanto nos seja possível, o livro espírita, que é luz de hoje, amanhã e sempre.

O livro nobre livra da ignorância, mas o livro espírita livra da ignorância e livra do mal.

EMMANUEL[*]

---

[*] Página recebida pelo médium Francisco Cândido Xavier, em reunião pública da Comunhão Espírita Cristã, na noite de 25/2/1963, em Uberaba (MG), e transcrita em *Reformador*, abr. 1963, p. 9.

O EVANGELHO NO LAR

Quando o ensinamento do Mestre vibra entre quatro paredes de um templo doméstico, os pequeninos sacrifícios tecem a felicidade comum.[1]

Quando entendemos a importância do estudo do Evangelho de Jesus, como diretriz ao aprimoramento moral, compreendemos que o primeiro local para esse estudo e vivência de seus ensinos é o próprio lar.

É no reduto doméstico, assim como fazia Jesus, no lar que o acolhia, a casa de Pedro, que as primeiras lições do Evangelho devem ser lidas, sentidas e vivenciadas.

O espírita compreende que sua missão no mundo principia no reduto doméstico, em sua casa, por meio do estudo do Evangelho de Jesus no Lar.

Então, como fazer?

Converse com todos que residem com você sobre a importância desse estudo, para que, em família, possam compreender melhor os ensinamentos cristãos, a partir de um momento de união fraterna, que se desenvolverá de maneira harmônica e respeitosa. Explique que as reflexões conjuntas acerca do Evangelho permitirão manter o ambiente da casa espiritualmente saneado, por meio de sentimentos e pensamentos elevados, favorecendo a presença e a influência de Mensageiros do Bem; explique, também, que esse momento facilitará, em sua residência, a recepção do amparo espiritual, já que auxilia na manutenção de elevado padrão vibratório no ambiente e em cada um que ali vive.

Convide sua família, quem mora com você, para participar. Se mora sozinho, defina para você esse momento precioso de estudo e reflexões. Lembre-se de que, espiritualmente, sempre estamos acompanhados.

Escolha, na semana, um dia e horário em que todos possam estar presentes.

O tempo médio para a realização do Evangelho no Lar costuma ser de trinta minutos.

---

[1] XAVIER, Francisco Cândido. *Luz no lar*. Por Espíritos diversos. 12. ed. 7. imp. Brasília: FEB, 2018. Cap. 1.

As crianças são bem-vindas e, se houver visitantes em casa, eles também podem ser convidados a participar. Se não forem espíritas, apenas explique a eles a finalidade e importância daquele momento.

O seguinte roteiro pode ser utilizado como sugestão:

1. Preparação: leitura de mensagem breve, sem comentários;
2. Início: prece simples e espontânea;
3. Leitura: *O evangelho segundo o espiritismo* (um ou dois itens, por estudo, desde o prefácio);
4. Comentários: breves, com a participação dos presentes, evidenciando o ensino moral aplicado às situações do dia a dia;
5. Vibrações: pela fraternidade, paz e pelo equilíbrio entre os povos; pelos governantes; pela vivência do Evangelho de Jesus em todos os lares; pelo próprio lar...
6. Pedidos: por amigos, parentes, pessoas que estão necessitando de ajuda...
7. Encerramento: prece simples, sincera, agradecendo a Deus, a Jesus, aos amigos espirituais.

As seguintes obras podem ser utilizadas nesse momento tão especial:

- *O evangelho segundo o espiritismo*, como obra básica;
- *Caminho, verdade e vida; Pão nosso; Vinha de luz; Fonte viva; Agenda cristã.*

Esse momento no lar não se trata de reunião mediúnica e, portanto, qualquer ideia advinda pela via da intuição deve permanecer como comentário geral, a ser dito de maneira simples, no momento oportuno.

No estudo do Evangelho de Jesus no Lar, a fé e a perseverança são diretrizes ao aprimoramento moral de todos os envolvidos.

FEB editora
Livro espírita para um novo mundo
www.febeditora.com.br
@febeditoraoficial
@febeditora

Conselho Editorial:
Carlos Roberto Campetti
Cirne Ferreira de Araújo
Evandro Noleto Bezerra
Geraldo Campetti Sobrinho – Coord. Editorial
Jorge Godinho Barreto Nery – Presidente
Maria de Lourdes Pereira de Oliveira
Miriam Lúcia Herrera Masotti Dusi

Produção Editorial:
Elizabete de Jesus Moreira

Revisão:
Elizabete de Jesus Moreira
Neryanne Paiva

Capa e Projeto Gráfico:
Ingrid Saori Furuta

Diagramação:
Rones José Silvano de Lima – instagram.com/bookebooks_designer

Foto da Capa:
Bim | istockphoto.com

Normalização Técnica:
Biblioteca de Obras Raras e Documentos Patrimoniais do Livro

Esta edição foi impressa pela Editora Vozes Ltda., Petrópolis, RJ com uma tiragem de 1 mil exemplares, todos em formato fechado de 155x230 mm e com mancha de 116,4x180 mm. Os papéis utilizados foram o Off white slim 65 g/m² para o miolo e o Cartão 250 g/m² para a capa. O texto principal foi composto em fonte Minion Pro 11,5/15,2 e os títulos em Filosofia Grand Caps 24/25. Impresso no Brasil. *Presita en Brazilo.*